# en acción
## curso de español

## Cuaderno de actividades

Nuria Vaquero

**Colaboraciones:**
Elena Verdía (coordinadora); Felipe Martín Saráchaga (fichas para el desarrollo de estrategias)

**Directora editorial:**
Raquel Varela Méndez

**Equipo editorial**
Edición: Susana Gómez; Carmen Llanos, AGL. Servicios editoriales.
Diseño y puesta en página: DC Visual
Ilustraciones: Fernando Dagnino y DC Visual
Cubierta: Marcelo Spotti
Fotografía: Santi Burgos; puertoNORTE-SUR; COVER.
Audio: Crab Sonido

© de esta edición: enClave-ELE, 2011 – ISBN: 978-84-96942-23-3


Depósito legal M.10.960-2011
Impreso por Cimapress

# ÍNDICE

| Unidad | Nº Página |
|---|---|

# UNIDAD 1

**1. a.** Imagínate que en clase tienes que hacer una actividad que te parece muy difícil o que no sabes cómo hacer. ¿Qué harías? Márcalo.

❏ Pedirle ayuda al profesor.

❏ Pedirle ayuda a un compañero antes de empezar.

❏ Hacer la actividad con uno o varios compañeros.

❏ Esperar a que un compañero termine para pedirle ayuda.

❏ Intentar hacer la actividad yo solo.

❏ No hacer la actividad.

**b.** En su clase, Paul tiene que hacer una actividad pero no sabe cómo. Observa lo que hace. ¿Coincide contigo?

**c.** Paul utiliza la estrategia de COOPERAR CON LOS DEMÁS. ¿Cómo puedes tú utilizar esta estrategia en el aula? Escribe una lista en tu cuaderno.

Para cooperar con los demás en el aula puedo...

- Pedir aclaraciones si no entiendo algo.
- Pedir o dar ejemplos.
- ...

☺☺ **d.** ¿Puedes completar tu lista con algo que han escrito tus compañeros en las suyas?

**2.a.** ¿Qué preguntas puedes hacer a un nuevo compañero de clase para conocerlo mejor? Completa las preguntas sobre los temas señalados escribiendo una palabra en cada hueco.

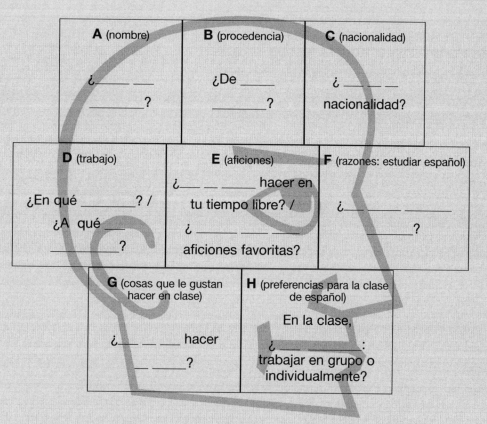

| **A** (nombre) | **B** (procedencia) | **C** (nacionalidad) |
|---|---|---|
| ¿____ ___ _____? | ¿De _____ _____? | ¿ ____ ___ nacionalidad? |

| **D** (trabajo) | **E** (aficiones) | **F** (razones: estudiar español) |
|---|---|---|
| ¿En qué _____? / ¿A qué ____ _____? | ¿____ __ ____ hacer en tu tiempo libre? / ¿ _____ ___ ___ aficiones favoritas? | ¿_____ _____ _____? |

| **G** (cosas que le gustan hacer en clase) | **H** (preferencias para la clase de español) |
|---|---|
| ¿____ __ ____ hacer __ ____? | En la clase, ¿ ____ _____: trabajar en grupo o individualmente? |

☺☺ **b.** Formula a uno de tus compañeros de clase las preguntas anteriores y anota sus respuestas. Si quieres, añade otras preguntas.

¿Crees que la estrategia de COOPERAR CON LOS DEMÁS puede ayudarte a hacer las actividades 2.b. y 2.c.?

☺☺ **c.** Presenta a tu compañero al resto de la clase. Entre todos, organizad la información presentada en:

| Cosas que tenéis en común | Cosas que son diferentes en el grupo |
|---|---|
| | |

¿HAS COOPERADO CON LOS DEMÁS en las actividades anteriores? Comenta con tus compañeros si la estrategia te ha ayudado a hacer la actividad o no.

**3.a.** ¿Quién es el personaje famoso oculto? Completa las siguientes hipótesis sobre su biografía y descubre quién es.

| quizás | a lo mejor | seguro | puede ser | ~~probablemente~~ |
|---|---|---|---|---|

**a. 6 de julio de 1907 / Coyoacán (México)**

_Probablemente_ el 6/07/1907 es su fecha de nacimiento y Coayacán el lugar donde nació.

**b. afición a la pintura / 1925 / terrible accidente**

_____ 1925 es uno de los años más importantes en su vida porque empieza a pintar cuando tiene que pasar tres meses en la cama debido a un terrible accidente.

**c. 1929 / 1941 / Diego Rivera**

1929 _____ es la fecha en que conoce a Diego Rivera y 1941 cuando se casa con él.

**d. 1954 / enfermedad pulmonar / 47 años**

1954 _____ la fecha en que se produce su muerte por una enfermedad pulmonar.

**e. Mujer de la imagen / pintora mexicana / siglo XX**

_____ que la mujer de la imagen es la famosa pintora mexicana _____.

**b.** Escucha la grabación sobre la vida de Frida Khalo y descubre qué hipótesis anterior es falsa.

a) _____   b) _____   c) _____   d) _____   e) _____

**4.a.** Localiza en la tabla los siguientes adjetivos y sus opuestos.

| | | | | |
|---|---|---|---|---|
| sensato | divertido | paciente | trabajador | pesimista |
| irresponsable | cercano | buen conversador | | generoso |
| inteligente | insensato | desagradable | torpe | impaciente |
| sin sentido del humor | tacaño | vago | débil | mal conversador |
| agradable | sensible | con sentido del humor | fuerte | simpático |
| sincero | distante | tranquilo | aburrido | optimista |
| insensible | intranquilo | antipático | responsable | mentiroso |

**opuestos**

divertido _____
trabajador _____
simpático _____
buen conversador _____
agradable _____
cercano _____
con sentido del humor _____

**b.** Marca las rayas de las casillas correspondientes a los adjetivos de 4a. Si descubres un dibujo, has hecho bien la actividad anterior.

**C.** Ahora clasifica los adjetivos de las casillas que no has marcado en 4.b.

### opuestos

sincero _____

sensible _____

generoso _____

optimista _____

tranquilo _____

fuerte _____

responsable _____

inteligente _____

paciente _____

sensato _____

**5.a.** Las personas que te conocen, ¿todas piensan igual de ti? Completa las siguientes informaciones.

a) Mi familia dice de mí que soy una

persona _____ y que _____.

b) Mi pareja / mis amigos dicen de mí que

soy _____.

> COOPERA CON LOS DEMÁS para hacer la actividad 5.b. Después, comenta con tus compañeros si crees que la estrategia te ha ayudado, o no, en esta actividad.

☺☺ **b.** Anota cada una de las frases anteriores en un papel distinto y dáselo a tu profesor. Después, entre todos, averiguad a quién corresponde cada frase.

**6.a.** Clasifica las siguientes palabras en la tabla.

cd
correo electrónico
revistas

conciertos
baloncesto
golf

sitios web
series de TV
discos

libros
chats
fútbol

películas
periódicos
cortometraje

| a- lectura | b- música | c- Internet | d- cine y TV | e- deportes |
|---|---|---|---|---|
|  |  |  |  |  |

**b.** Añade una palabra más en cada una de las categorías de la tabla anterior. Luego señala con un tic (✔) las actividades que realizas habitualmente y cuéntalas.

☺☺ **c.** A partir de los resultados de la tabla, marca la opción que mejor describe la importancia del ocio en tu vida. Luego habla de ello con tus compañeros.

- No tiene mucha importancia. ☐
- Es importante para eliminar el estrés de mi vida laboral. ☐
- Es un complemento de mi vida laboral. ☐

**7.a.** Escucha y completa la tabla. Escribe las preferencias de estas personas.

| | **a)** Alejandro | **b)** Maica | **c)** Aurora |
|---|---|---|---|
| ¿Colores fríos o cálidos? | | | |
| ¿Carne o pescado? | | | |
| ¿Pasta o verdura? | | | |
| ¿Bebidas frías o bebidas calientes? | | | |

**b.** ¿Qué preferencias comparten estas tres personas? ¿Qué preferencias tienen en común solo dos de ellos? ¿Qué cosas no tienen en común? Completa este gráfico.

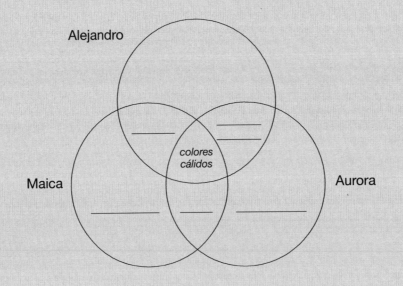

**c.** Observa el gráfico anterior y completa las siguientes frases con *el mismo, la misma, los mismos o las mismas.*

a) A Alejandro, a Maica y a Aurora les gustan _____ tipos de colores, pero a ninguno

le gusta _____ color.

b) Alejandro y Maica tienen _____ preferencias en cuanto a bebidas.

c) Alejandro y Aurora han dado _____ respuesta en la tercera pregunta: a los dos les

gusta más la carne que el pescado.

☺☺ **d.** Pregunta a dos de tus compañeros por sus gustos y haz un gráfico similar al de 7.b. Apunta aquí los resultados.

A _____, a _____ y a mí nos gustan los mismos_____ y las mismas

_____.

**8.a.** Dibuja un árbol en este recuadro.

**b.** Lee el texto de la derecha para conocer los principales rasgos de tu carácter. Después anota aquí los resultados del test. ¿Estás de acuerdo?

_____
_____
_____
_____
_____

## Tus principales rasgos de carácter según tu árbol

**El tamaño del árbol dice de ti...**

**Grande** (casi todo el recuadro): Eres una persona divertida, generosa, simpática, optimista.
**Normal** (50% del recuadro): Eres una persona responsable, tranquila. Eres cercano/a a la gente.
**Pequeño** (25% del recuadro): Eres tímido/a, algo inseguro/a, algo pesimista.
**Muy pequeño** (menos del 25% del recuadro): Eres muy tímido, tal vez antipático. Probablemente eres una persona pesimista.

**Las partes del árbol dicen de ti...**

**Tronco del árbol:** Si el tronco es grueso, eres una persona fuerte y segura de ti misma. Si es delgado, eres nerviosa e impaciente.
**Ramas:** Representan las inquietudes de la vida. Si tu árbol tiene muchas ramas, tienes muchos proyectos. Si el árbol tiene frutas o flores, eres un poco infantil, pero imaginativo. Si tu árbol solo tiene ramas (pero no hojas), eres una persona solitaria.
**El suelo, las raíces:** Representan la parte práctica de la vida. Si tu árbol tiene muchas raíces, eres algo egoísta. Si no hay suelo, eres una persona insegura.

Actividad adaptada de
http://cvc.cervantes.es/aula/didactired/anteriores/en
ero03/29012003.htm

☺☺ **c.** ¿Alguno de tus compañeros ha hecho un árbol parecido a estos?

**d.** ¿Crees que los dibujos reflejan el carácter de tus compañeros? ¿Crees que te han ayudado a conocerlos un poco mejor? Después del test, ¿qué sabes ahora de tus compañeros que antes no sabías?

**9.a.** Escucha a unas personas. Fíjate en la entonación y señala si les gustan o no les gustan las siguientes actividades.

|  | ☺ | ☹ |
|---|---|---|
| a) Madrugar los lunes |  |  |
| b) Cocinar |  |  |
| c) El mueble de madera |  |  |
| d) Las películas de dibujos animados |  |  |

**b.** Piensa en diez comidas y pregunta a tu compañero cuánto le gustan. Él solo puede contestar con la entonación.

**c.** Según la entonación de sus respuestas, ¿cuál crees que es la comida que más le gusta a tu compañero? ¿Y cuál es la que le gusta menos? Escríbelo.

La comida que más le gusta a mi compañero es _____ Y la que menos es

_____ .

**10.a.** Señala si te gusta mucho o poco hacer las siguientes actividades para aprender español. Para ello, sombrea la casilla correspondiente como en el ejemplo.

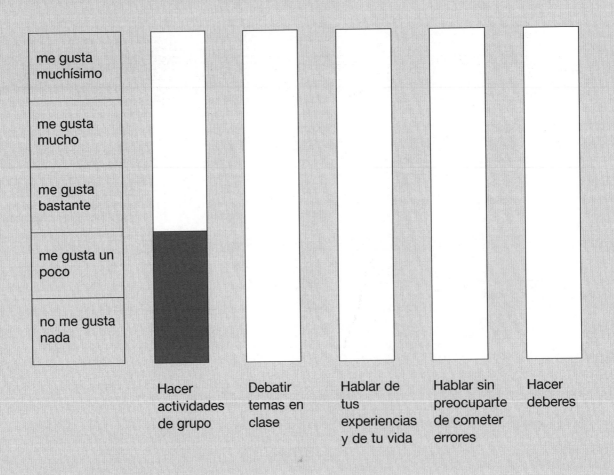

| me gusta muchísimo | | | | | |
| me gusta mucho | | | | | |
| me gusta bastante | | | | | |
| me gusta un poco | | | | | |
| no me gusta nada | | | | | |
|  | Hacer actividades de grupo | Debatir temas en clase | Hablar de tus experiencias y de tu vida | Hablar sin preocuparte de cometer errores | Hacer deberes |

**b.** **Relaciona las actividades anteriores con algunos rasgos de carácter y completa las frases siguientes.**

| | | |
|---|---|---|
| buen/a conversador/a | seguro/a de sí mismo/a | sociable |
| trabajador/a | introvertido/a | |

a) Normalmente a una persona _____ le gusta mucho hacer actividades de grupo en la clase.

b) A una persona _____ no le genera ansiedad cometer errores cuando habla en clase. Sabe que los errores son necesarios para aprender una lengua.

c) A una persona _____ no le gusta nada hablar sobre sí misma en clase. Prefiere actividades en las que se traten temas generales, pero no relacionados con su vida o su familia o su trabajo.

d) Al alumno que es _____ le gusta muchísimo defender sus ideas en debates de clase.

e) Al estudiante que es muy _____ le gusta tener deberes o tareas para casa.

**c.** **Observa de nuevo el gráfico que has hecho en 10.a. ¿Qué tipo de alumno eres?**

Creo que soy una persona extrovertida/introvertida porque _____

_____. Soy _____ trabajador/a y _____.

Me encanta hacer _____ por eso creo que soy _____

_____.

**d.** **Busca en la clase a compañeros que han hecho un gráfico distinto al tuyo en 10.a. ¿Cómo son esos compañeros? ¿Qué les gusta hacer en clase?**

**11.a.** **Escucha a estas personas que hablan de algunas claves para tener éxito en el aprendizaje de idiomas. Después completa el texto.**

| | | | |
|---|---|---|---|
| algunos | otros | la mayoría | muchos |

_____ de los alumnos entrevistados (pensar) _____ que la motivación juega un papel fundamental a la hora de aprender una segunda lengua. Los especialistas coinciden: "el 99% de la enseñanza es lograr que los alumnos estén motivados". _____ de los encuestados (señalar) _____ que es importante tener habilidades sociales porque una lengua se aprende en sociedad, en la pequeña comunidad de la clase, o en la comunidad de los hablantes del español. Además, _____ (considerar) _____ que es importante trabajar fuera de clase.

**b.** ¿Qué sentimientos experimentas al aprender español? Completa estas frases.

a) Me siento bien en clase cuando _____

_____ .

b) Me siento cómodo con las actividades de _____

_____ .

c) Me da vergüenza que _____ .

d) Me aburro si el profesor _____ .

e) Me siento inseguro cuando _____ .

f) Me siento satisfecho/contento si _____ .

g) Me cuesta _____ .

h) No me cuesta nada _____ .

> ¿Con quién puedes COOPERAR para completar la actividad 11.b? ¿Crees que esta estrategia puede ser útil para hacer este tipo de ejercicios?

☺☺ **C.** Comenta con tu compañero las respuestas anteriores. ¿Qué podéis hacer en clase para convertir en positivas las sensaciones negativas que a veces sentís al aprender español?

> COOPERA CON LOS DEMÁS para hacer las actividades 11.c y 12.a.

**12.a.** Si no sabes una palabra en español puedes expresarla de otro modo. Describe cómo son las siguientes cosas relacionadas con la cultura hispana.

| Es como... | Se parece a... | Suena como... |
| Son como... | Se parecen a... | Suenan como... |

|  descripción | país | nombre |
|---|---|---|
| a) *Se parecen a las conchas del mar.* _____ | España _____ | _____ |
| b) _____ | _____ | _____ |
| c) _____ | _____ | _____ |
| d) _____ | _____ | _____ |
| e) _____ | _____ | _____ |
| f) _____ | _____ | _____ |
| g) _____ | _____ | _____ |
| h) _____ | _____ | _____ |

**b.** **¿Con qué país relacionas las imágenes anteriores? ¿Sabes cómo se llama cada una de esas cosas?**

## DESARROLLO DE ESTRATEGIAS

☺☺ **13.a.** Comenta con tus compañeros en qué actividades te ha ayudado más la estrategia de COOPERAR CON LOS DEMÁS.

☺☺ **b.** Piensa en situaciones de clase y fuera de clase donde puede serte muy útil esta estrategia y escríbelas a continuación. ¿Tus compañeros han pensado en las mismas situaciones que tú?

| | ¿En qué situaciones puede serme útil COOPERAR CON LOS DEMÁS? |
|---|---|
| En el aula | |
| Fuera del aula | |

**1. a.** ¿Qué haces normalmente para memorizar palabras y estructuras nuevas en español?

❑ Las escribo en una lista y las memorizo.

❑ Las asocio a otras palabras o estructuras parecidas.

❑ Las asocio a una imagen.

❑ Las repito mentalmente.

❑ Las asocio a otra palabra o estructura que es similar en otra lengua.

❑ Otra cosa: _____

**b.** Paul quiere memorizar algunas palabras nuevas. ¿Utiliza alguna de las estrategias anteriores o utiliza otra diferente? ¿Tú también usas esa estrategia?

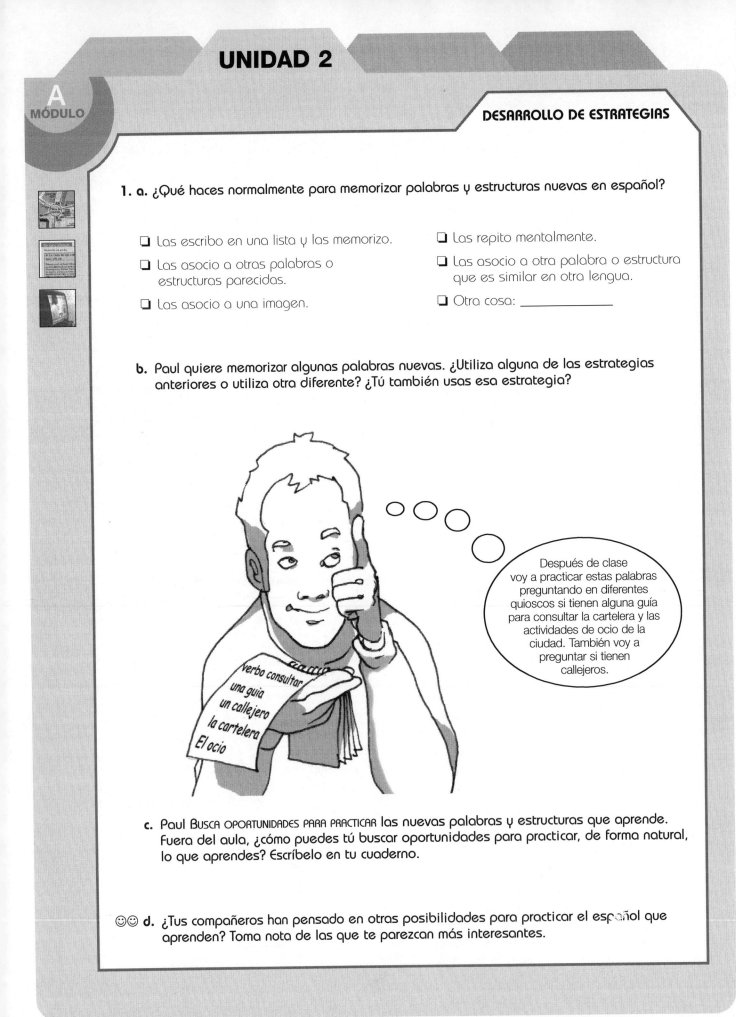

> Después de clase voy a practicar estas palabras preguntando en diferentes quioscos si tienen alguna guía para consultar la cartelera y las actividades de ocio de la ciudad. También voy a preguntar si tienen callejeros.

verbo consultar
una guía
un callejero
la cartelera
El ocio

**c.** Paul BUSCA OPORTUNIDADES PARA PRACTICAR las nuevas palabras y estructuras que aprende. Fuera del aula, ¿cómo puedes tú buscar oportunidades para practicar, de forma natural, lo que aprendes? Escríbelo en tu cuaderno.

☺☺ **d.** ¿Tus compañeros han pensado en otras posibilidades para practicar el español que aprenden? Toma nota de las que te parezcan más interesantes.

**2.** **Lee estos textos en los que se habla de distintos medios de comunicación y completa el gráfico.**

**Acciones relacionadas:**
- *Escuchar la* _____
- _____ *música*

**Nombre:** _____
Tipos de programa:
- *Noticias*
- *Música*
- _____
- _____

**Acciones relacionadas:**
- *hojear el periódico*
- _____ *un artículo*
- _____ *la cartelera*

**Acciones relacionadas:**
- _____ *la* _____
- _____ *zapping*
- _____ *el teletexto*

**Nombre: _PRENSA_**
Secciones:
- *Internacional*
- *Nacional*
- _____
- _____
- _____

**Nombre:** _____
Secciones:
- *Informativo*
- *Documental*
- *Ser* _____
- *Con* _____
- *Tele* _____
- _____ *show*
- *Deb* _____
- _____

**B.** Mi padre es Guglielmo Marconi. Existo desde finales del siglo XIX. Funcioné por primera vez como medio de comunicación en 1920 cuando retransmití un mensaje de un presidente norteamericano.

**A.** Me venden en la calle o en los quioscos y a veces me regalan. Muchas personas comen conmigo, otras me llevan en sus viajes por el metro. Pronto voy a cumplir 400 años.

**C.** Estoy en la mayoría de las casas. Nací hacia 1920. Me conocieron primero en EEUU y en Inglaterra (hacia 1930). A España llegué en 1952. Primero fui en blanco y negro, luego en color, más tarde con mando a distancia…

**D.** Soy muy joven, pero tengo mucho futuro. En 1972 nací en un Departamento de Defensa de EEUU y allí pasé mi infancia. 1989 fue como ir a la universidad: un científico empezó a utilizarme para conectar a investigadores. He crecido mucho desde entonces.

**E.** Mi historia es la de la humanidad. Nací en Mesopotamia. Con Gutenberg transformé el mundo en 1440. Desde entonces muchos hombres sienten la necesidad de estar conectados con el mundo a través de mis palabras.

**Nombre:** _____
Servicios de la Red:
- _____ *web*
- *Correo* _____
- _____ *de debate*
- _____

**Nombre:** _____
Géneros:
- *novela*
- *biogra* _____
- _____
- _____

Entre estas palabras, selecciona algunas que sean nuevas para ti y BUSCA DIFERENTES OPORTUNIDADES PARA PONERLAS EN PRÁCTICA. Después piensa si te ha resultado más fácil aprenderlas con esta estrategia. Comenta tu experiencia con tus compañeros de clase.

**Acciones relacionadas:**
- *Buscar* _____
- *Entrar* _____
- *Nav* _____ *por la Red*
- _____ *correo electrónico*
- _____ *en un foro*

**Acciones relacionadas:**
- _____ *una novela*
- *Hojear las* _____ *de un libro.*

**3.a. Contesta a las siguientes preguntas y marca tus respuestas en este gráfico.**

¿Con qué frecuencia utilizas los medios de comunicación siguientes?

1. Para obtener una información (una noticia, saber qué película ponen en el cine, etc.).
2. Para distraerte cuando haces otras cosas en casa (cocinar, hacer tareas domésticas, comer, descansar, etc.).
3. Como forma de ocio (sin hacer nada más al mismo tiempo).
4. Para combatir la soledad.

| | radio | prensa/libros | Internet | TV | radio | prensa/libros | Internet | TV | radio | prensa/libros | Internet | TV | radio | prensa/libros | Internet | TV |
|---|---|---|---|---|---|---|---|---|---|---|---|---|---|---|---|---|
| 6. Siempre | | | | | | | | | | | | | | | | |
| 5. Casi siempre | | | | | | | | | | | | | | | | |
| 4. A menudo/con frecuencia | | | | | | | | | | | | | | | | |
| 3. Algunas veces | | | | | | | | | | | | | | | | |
| 2. Casi nunca / rara vez | | | | | | | | | | | | | | | | |
| 1. Nunca | | | | | | | | | | | | | | | | |
| | Pregunta 1 | | | | Pregunta 2 | | | | Pregunta 3 | | | | Pregunta 4 | | | |

**b. En el gráfico, une con una línea todos los puntos referidos a cada medio de comunicación (un color distinto para cada medio). Contesta luego a estas preguntas.**

- Según los resultados del gráfico, ¿cuál es el medio de comunicación que utilizas con mayor frecuencia?

  _____

- Se puede decir entonces que eres un hombre/mujer...

  ☐ de la era Internet     ☐ de la era televisiva
  ☐ de la era radiofónica     ☐ de la era escrita

BUSCA DIFERENTES OPORTUNIDADES PARA PRACTICAR fuera del aula las expresiones y estructuras nuevas que aparecen en toda esta actividad. Después, comenta con tus compañeros cómo has usado la estrategia y si te ha ayudado, o no, a aprenderlas.

**c. Escribe por qué prefieres ese medio de comunicación frente a los otros.**

Prefiero_____ (la radio/la prensa/la televisión/Internet) para _____ porque _____ (resultar) mucho más _____ que otros medios. Además también la/lo prefiero porque es bastante _____ y porque _____ (parecer) _____. No me gusta _____, porque es muy _____ y porque _____.

☺☺ **d. Observa los resultados del gráfico de tus compañeros. Discutid entre todos:**

- ¿Qué medio preferís para buscar información o acceder a noticias de actualidad? ¿Qué ventajas tiene frente a otros?

- ¿Qué medio de los anteriores está más presente en vuestro tiempo libre? Como recurso de ocio, ¿qué ventajas tiene frente a otros?

**4.a.** Escucha y anota la frase que coincide con la opinión de cada uno de estos tres oyentes.

• Oyente 1: _____     • Oyente 2: _____     • Oyente 3: _____

a) "La televisión puede ser un instrumento útil para la educación de los niños".

b) "Los niños que ven una programación educativa de calidad de forma regular aprenden más y mejor que los niños que no ven televisión".

c) "La televisión impide que los niños se muevan y se relacionen con otros niños, algo esencial durante los primeros años de su vida".

d) "Lo malo es ver demasiada televisión. Algunos niños que ven demasiado la televisión tienen riesgo de desarrollar algunas enfermedades".

e) "La violencia de la televisión hace que los niños desarrollen comportamientos agresivos".

**b.** Señala si estás de acuerdo o no con las frases anteriores y explica por qué. Utiliza las expresiones del recuadro.

| | |
|---|---|
| • Estoy (completamente) de acuerdo | • Estoy de acuerdo en parte |
| • No estoy muy de acuerdo    • No estoy de acuerdo | • No estoy en absoluto de acuerdo |

a) (Opinión a)  _Estoy de acuerdo en parte, pero los padres y los profesores deben_

_seleccionar los programas que pueden ver los niños._

b) (Opinión b) _____

_____

c) (Opinión c) _____

_____

d) (Opinión d) _____

_____

e) (Opinión e) _____

_____

# UNIDAD 2

**5.a.** ¿Qué programas de televisión crees que pueden ver los niños y cuáles no? Completa las pantallas de televisión y clasifica los programas del recuadro.

| | | | |
|---|---|---|---|
| • retransmisiones deportivas | • programas musicales | • películas | • concursos |
| • reality show | • programas para niños | • entrevistas | • informativos |
| • dibujos animados | • debates | • documentales | • series |
| • telenovelas | | | |

Sí pueden ver...

Con especial supervisión de los adultos pueden ver...

No deben ver...

☺☺ **b.** Compara tu clasificación con la que han hecho tus compañeros de clase y proponed una clasificación aceptada por todo el grupo.

**6.** ¿Qué haces normalmente en las siguientes situaciones para combatir el aburrimiento?

a. Cuando quedas con un amigo para ir al cine y te llama diez minutos antes para decirte que tiene un problema y no va a salir.

*Suelo llamar a otro amigo y si no, suelo irme al cine solo.*

b. Cuando la ciudad está vacía y tus amigos están de vacaciones.

c. Cuando sacas una película del videoclub, pones el DVD y te das cuenta de que ya la has visto.

d. Cuando has planeado una salida al campo desde hace meses y ese día amanece lloviendo.

e. Cuando quieres ver un programa y hay un cambio en la programación de televisión.

¿Cómo puedes PRACTICAR, FUERA DEL AULA Y DE UN MODO NATURAL, las expresiones y palabras de las actividades anteriores? Pon en práctica esta estrategia y, después, evalúa sus resultados. ¿Te ha ayudado a aprender? Comenta tu experiencia con tus compañeros.

**7.a.** Lee los textos y marca en el plano el recorrido que haces en esta ciudad. Presta atención al lugar en el que te encuentras en cada situación y al lugar dónde tienes que dirigirte. En el plano está la solución.

**A.** Llegas a tu destino. Al bajar del tren descubres que has perdido tu teléfono móvil y la dirección de la casa de tu amigo y no te acuerdas de su teléfono.
Te sabes el e-mail de un amigo común.
¿Dónde vas?

**B.** Consigues la dirección de la casa de tu amigo, pero no sabes cómo llegar ni dónde puedes subir al autobús. De pronto ves algo que te da la solución, ¿qué ves?

**C.** Cuando estás a punto de coger el autobús te das cuenta de que has perdido también el regalo que traías a tu amigo. Quieres comprar otro. Piensas: ¿Cómo localizo una tienda de deporte para comprarle un palo de golf? ¿Ves un establecimiento abierto? ¿Dónde vas a preguntar?

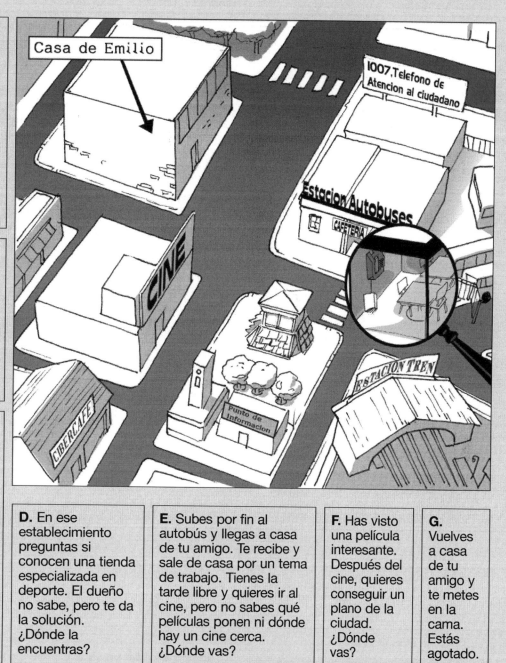

**D.** En ese establecimiento preguntas si conocen una tienda especializada en deporte. El dueño no sabe, pero te da la solución. ¿Dónde la encuentras?

**E.** Subes por fin al autobús y llegas a casa de tu amigo. Te recibe y sale de casa por un tema de trabajo. Tienes la tarde libre y quieres ir al cine, pero no sabes qué películas ponen ni dónde hay un cine cerca. ¿Dónde vas?

**F.** Has visto una película interesante. Después del cine, quieres conseguir un plano de la ciudad. ¿Dónde vas?

**G.** Vuelves a casa de tu amigo y te metes en la cama. Estás agotado.

**b.** Escribe el nombre de los lugares por los que has pasado en el recorrido del mapa en 7a.

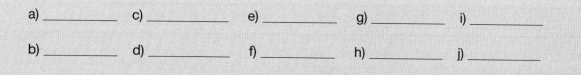

a) _____  c) _____  e) _____  g) _____  i) _____

b) _____  d) _____  f) _____  h) _____  j) _____

**8.** Completa las siguientes definiciones con los pronombres relativos. Después intenta averiguar la palabra definida. Todas son "palabras de cine".

**Palabras de cine**

- en las que
- que
- en que
- que
- con las que ✔
- que
- con el que
- que
- en las que
- en las que
- con la que

### Definición

**Palabras de cine**

a) Palabra o palabras *con las que* se menciona a una película y que siempre se traducen mal de una lengua a otra.

T Í T U L O

b) Es la persona _____ inmediatamente dice "¡Corten!" cuando los actores hacen algo mal o algo de la grabación no le gusta.

D __ R __ __ __ T __ __

c) Es el texto que, en teoría, se aprenden los actores, pero _____ luego la mayoría se equivoca.

G __ __ __ __ N

d) Es el género de las películas _____ no te puedes olvidar de llevar un pañuelo en el bolsillo.

D R __ M __

e) Son las personas _____ se creen que sin ellos la película no existiría. Se olvidan del director, productor, cámara, guionista, decorador, entre otros muchos.

A C __ __ __ __ __ S

f) Es la palabra _____ te refieres a una película que te ha gustado mucho. Cuando sales del cine dices: "Es un..."

P __ L __ __ __ __ __ __ N

g) Película por capítulos o episodio _____ dura en la televisión hasta el momento _____ el público se aburre de ella.

S E __ __ __ __

h) Es el resumen de las cosas _____ pasan en una película. ¡Cuidado, no le cuentes a alguien su final, porque probablemente no irá entonces a ver la película!

A R __ __ __ __ __ N __ __

i) Es el género de aquellas películas _____ pagas por reír, pero _____ luego solo te sonríes.

C __ M __ __ __ A

**9.** Escucha los fragmentos de siete películas diferentes y escribe a qué género pertenecen.

a) _____    e) _____

b) _____    f) _____

c) _____    g) _____

d) _____    h) _____

Piensa en una situación en la que, hoy o mañana, puedas PRACTICAR LAS PALABRAS Y ESTRUCTURAS de las actividades anteriores. Más tarde, comenta con tus compañeros cómo pusiste en práctica esta estrategia y si pudiste practicar muchas cosas nuevas o no.

# UNIDAD 2

**10.** ¿Qué piensa este espectador de las películas españolas más taquilleras? Completa sus frases con estas palabras y con ayuda de la información del recuadro.

| Película española con mayor número de espectadores por año | Valoración de un espectador anónimo |
|---|---|
| **1999:** Todo sobre mi madre (Pedro Almodóvar) | ★★★★ |
| **2000:** La comunidad (Alex de la Iglesia) | ★★★ |
| **2001:** Los otros (Alejandro Amenábar) | ★★★★★ |
| **2002:** El otro lado de la cama (Emilio Martínez Lázaro) | ★ |
| **2003:** La gran aventura de Mortadelo y Filemón  (Javier Fresser) | ★★ |
| **2004:** Mar adentro (Alejandro Amenábar) | ★★★★★ |

rollo  
no está mal  
buena  
estupenda ✔

genial  
un peliculón  
una obra maestra

a) *Todo sobre mi madre* le parece una película  *estupenda* , aunque le gustan más otras películas de Almodóvar.

b) *La comunidad* de Aléx de la Iglesia le gustó bastante. Piensa que es una película _____. Se rió mucho con ella.

c) Fue varias veces a ver *Los otros* de Alejandro Amenábar. Opina que es una película _____, todo un _____.

d) Para él *El otro lado de la cama* es un _____. Tal vez no tuvo un buen día cuando fue a verla y por eso no le gustó.

e) Con *La gran aventura de Mortadelo y Filemón* se rió en el cine, pero no le encantó. Piensa que _____.

f) La película que más le gustó fue otra de Alejandro Amenábar: *Mar adentro.* Cree que es _____ del cine español.

**11.a.** Escucha las siguientes palabras e indica en el gráfico correspondiente la sílaba acentuada en cada una de ellas. Observa que hay un círculo para cada sílaba.

a) trama ●○  
b) guión ○○  
c) cámara ○○○  
d) musical ○○○

e) película ○○○○  
f) documental ○○○○  
g) largometraje ○○○○○  
e) telenovela ○○○○○

b. Pronuncia las palabras de 11a prestando atención al gráfico que has hecho para cada una de ellas.

c. Clasifica ahora las palabras de 11b en la siguiente tabla.

| Palabras agudas ○ ○ ● | Palabras llanas ○ ● ○ | Palabras esdrújulas ● ○ ○ |
|---|---|---|
| En la pronunciación de estas palabras, la fuerza de entonación está en la última sílaba, al final de la palabra. | En la pronunciación de estas palabras, la fuerza de entonación está en la penúltima sílaba, la anterior a la última. | En la pronunciación de estas palabras, la fuerza de entonación está en la antepenúltima sílaba, la anterior a la penúltima. |
| | | |

12.a. Qué película podrías elegir para representar el cine de tu país en el mundo? Escribe su argumento y haz una pequeña valoración.

En la actividad 12 intenta PRACTICAR, DE MODO NATURAL, todas las palabras y estructuras nuevas que has visto en esta unidad.

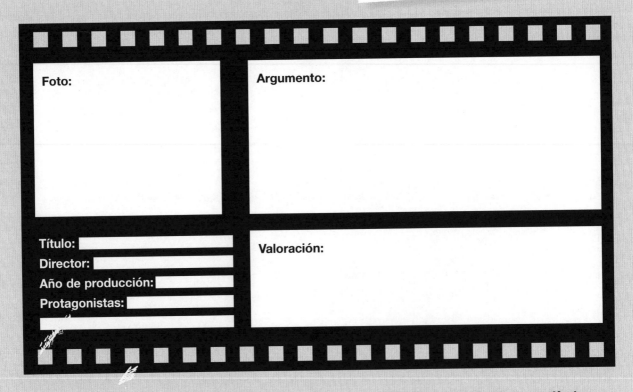

Foto:

Argumento:

Título:

Director:

Año de producción:

Protagonistas:

Valoración:

☺☺ b. Busca una imagen de la película y pégala en la ficha anterior. Después, recomienda esa película a tus compañeros de clase.

☺☺**13.a.** Observa la información de la tabla y después, en clase, comenta con tus compañeros las siguientes cuestiones:

- ¿El cine de tu país tiene presencia en España?

- El cine nacional en tu país, ¿qué éxito tiene entre los espectadores? ¿Cómo es la situación en España? ¿A qué se debe?

- ¿Qué presencia tiene el cine norteamericano en las salas de cine de tu país? ¿Qué se podría hacer para promocionarlo?

- ¿Qué cine de otras nacionalidades se puede ver en tu país?

- ¿Qué se conoce del cine en español en tu país?

| Reparto del mercado cinematográfico español en salas de cine (enero-agosto 2004) | | |
| --- | --- | --- |
| Nacionalidades de las películas proyectadas | Espectadores | cuota de porcentaje |
| Alemania | 497.883 | 0,61 |
| Bélgica | 229 | 0,00 |
| Dinamarca | 189.174 | 0,23 |
| España | 7.254.370 | 8,94 |
| Estados Unidos | 58.344.916 | 71,88 |
| Finlandia | 282 | 0,00 |
| Francia | 660.648 | 0,81 |
| Grecia | 73 | 0,0 |
| Holanda | 47 | 0,0 |
| Irlanda | 48.799 | 0,06 |
| Italia | 102.772 | 0,13 |
| Portugal | 34.263 | 0,04 |
| Reino Unido | 10.596.668 | 13,06 |
| Suecia | 3.575 | 0,0 |

**b.** Recoge aquí algunas de las conclusiones de 13.a.

_____

_____

_____

_____

_____

### DESARROLLO DE ESTRATEGIAS

**14.a.** A lo largo de esta unidad HAS BUSCADO DIFERENTES OPORTUNIDADES PARA PRACTICAR LO APRENDIDO. ¿Crees que esta estrategia te ha ayudado a aprender mejor o más rápido? Marca tu respuesta.

- ❑ En la mayoría de los casos sí.
- ❑ En algunos casos sí.
- ❑ En muy pocos casos.
- ❑ En ningún o casi ningún caso.

☺☺ **b.** ¿En qué caso no te ha ayudado mucho la estrategia anterior? ¿Qué otra estrategia podría ayudarte a aprender mejor en esa ocasión? Coméntalo con tus compañeros.

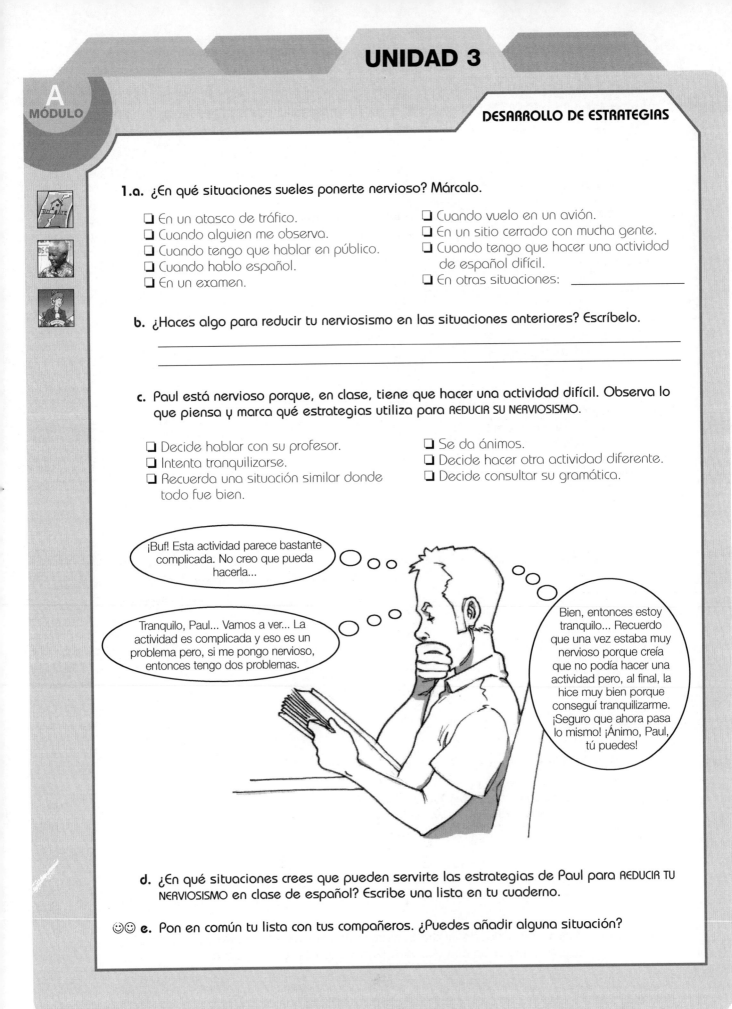

**1.a.** ¿En qué situaciones sueles ponerte nervioso? Márcalo.

❏ En un atasco de tráfico.
❏ Cuando alguien me observa.
❏ Cuando tengo que hablar en público.
❏ Cuando hablo español.
❏ En un examen.

❏ Cuando vuelo en un avión.
❏ En un sitio cerrado con mucha gente.
❏ Cuando tengo que hacer una actividad de español difícil.
❏ En otras situaciones: _____

**b.** ¿Haces algo para reducir tu nerviosismo en las situaciones anteriores? Escríbelo.

_____
_____

**c.** Paul está nervioso porque, en clase, tiene que hacer una actividad difícil. Observa lo que piensa y marca qué estrategias utiliza para REDUCIR SU NERVIOSISMO.

❏ Decide hablar con su profesor.
❏ Intenta tranquilizarse.
❏ Recuerda una situación similar donde todo fue bien.

❏ Se da ánimos.
❏ Decide hacer otra actividad diferente.
❏ Decide consultar su gramática.

¡Buf! Esta actividad parece bastante complicada. No creo que pueda hacerla...

Tranquilo, Paul... Vamos a ver... La actividad es complicada y eso es un problema pero, si me pongo nervioso, entonces tengo dos problemas.

Bien, entonces estoy tranquilo... Recuerdo que una vez estaba muy nervioso porque creía que no podía hacer una actividad pero, al final, la hice muy bien porque conseguí tranquilizarme. ¡Seguro que ahora pasa lo mismo! ¡Ánimo, Paul, tú puedes!

**d.** ¿En qué situaciones crees que pueden servirte las estrategias de Paul para REDUCIR TU NERVIOSISMO en clase de español? Escribe una lista en tu cuaderno.

☺☺ **e.** Pon en común tu lista con tus compañeros. ¿Puedes añadir alguna situación?

**2.a.** Escucha la grabación y haz hipótesis acerca de los recuerdos que tiene esa persona relacionados con las siguientes informaciones. Utiliza algunas de las expresiones señaladas.

❏ seguramente    ❏ a lo mejor    ❏ me imagino que    ❏ supongo que    ❏ creo que

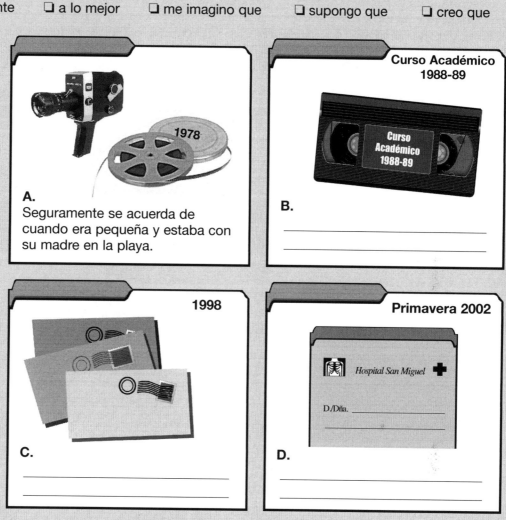

¿Antes de escuchar esta audición, intenta REDUCIR TU NERVIOSISMO. ¿Cómo crees que puedes hacerlo? Después, comenta lo que has hecho con tus compañeros y si te ha ayudado, o no, a hacer esta actividad.

**A.**
Seguramente se acuerda de cuando era pequeña y estaba con su madre en la playa.

**B.**
Curso Académico 1988-89

**C.**
1998

**D.**
Primavera 2002 — Hospital San Miguel — D./Dña.

**b.** ¿Y tú? ¿Tienes algún recuerdo de esos años?

*(1978) Recuerdo que entonces tenía 7 años y que vivía con mi familia a las afueras de Barcelona.*

a) 1978: _____
b) 1988-89: _____
c) 1998: _____
d) 2002: _____

**c.** ¿A qué asocias los recuerdos señalados en 2.b.? ¿A una imagen, a un sonido, a un olor, a una sensación, a un sabor? ¿Por qué?

*Ese recuerdo lo asocio al olor de un pastel, porque mi madre a menudo nos hacía pasteles a mis hermanos y a mí.*

a) 1978: _____
b) 1988-89: _____
c) 1998: _____
d) 2002: _____

**3.a.** ¿Te acuerdas de las pintadas de la escuela? Lee las que aparecen en esta imagen y complétalas utilizando algunas de las siguientes frases.

❏ Copiar en los exámenes.

❏ Hablar durante la clase.

❏ Llegar tarde a clase.

❏ Correr por los pasillos.

❏ Dormirse durante las clases.

❏ Pintar en las mesas.

❏ Faltar a clase.

❏ Tirar tizas.

❏ Aprobar / Suspender los exámenes.

## WC

*El alumno siempre es perfecto porque...*

*... NO suspende los exámenes, otros no saben evaluar sus progresos. Un alumno siempre aprueba, pero otros no saben verlo.*

*... NO _____,
hace pruebas de velocidad.*

*... NO _____, reflexiona en silencio y con los ojos cerrados.*

*... NO _____ con sus compañeros, intercambia impresiones.*

*... NO _____,
contrasta resultados para verificarlos.*

*... NO _____,
, practica la expresión artística.*

*... NO _____
, los demás se adelantan.*

*... NO _____, otras personas le retienen en otros lugares.*

*... NO _____ al suelo o a otros compañeros, sólo pone en práctica la ley de la gravedad que ha aprendido en clase de física.*

*Es el profesor el que siempre es imperfecto, pero no lo sabe.*

**b.** Y tú, ¿solías hacer estas cosas cuando ibas al colegio? ¿En qué situaciones las hacías?

*Sí, solía copiar en los exámenes cuando no me sabía la lección.
/ No, no solía copiar en los exámenes, siempre llevaba los exámenes preparados.*

a) (Copiar en los exámenes) _____

b) (Dormirse durante las explicaciones del profesor) _____

c) (Faltar a las clases) _____

d) (Pintar en las mesas de la clase) _____

e) (Hablar durante la explicación del profesor) _____

f) (Aprobar / Suspender los exámenes) _____

☺☺ **c. Comenta tus recuerdos del colegio con dos compañeros. ¿Coinciden con los suyos?**

**4.a.** ¿Qué piensan los siguientes alumnos al principio de curso?

| a) el empollón | b) el tímido | c) el que se salta las clases | d) el pelota | e) el vago |
|---|---|---|---|---|

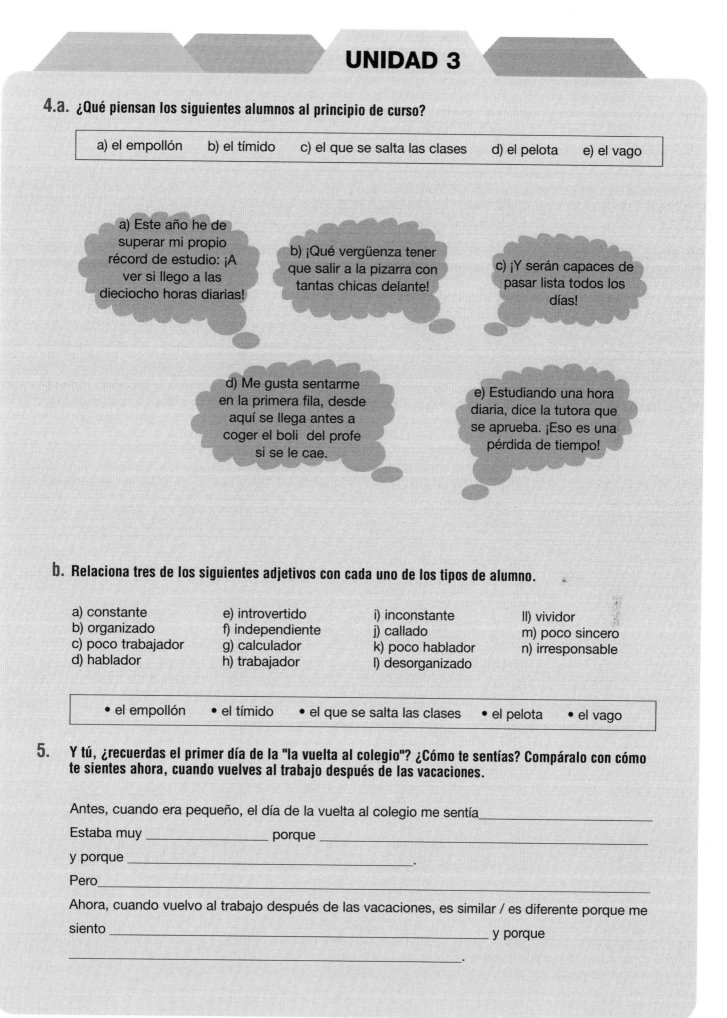

a) Este año he de superar mi propio récord de estudio: ¡A ver si llego a las dieciocho horas diarias!

b) ¡Qué vergüenza tener que salir a la pizarra con tantas chicas delante!

c) ¡Y serán capaces de pasar lista todos los días!

d) Me gusta sentarme en la primera fila, desde aquí se llega antes a coger el boli del profe si se le cae.

e) Estudiando una hora diaria, dice la tutora que se aprueba. ¡Eso es una pérdida de tiempo!

**b.** Relaciona tres de los siguientes adjetivos con cada uno de los tipos de alumno.

a) constante
b) organizado
c) poco trabajador
d) hablador

e) introvertido
f) independiente
g) calculador
h) trabajador

i) inconstante
j) callado
k) poco hablador
l) desorganizado

ll) vividor
m) poco sincero
n) irresponsable

| • el empollón | • el tímido | • el que se salta las clases | • el pelota | • el vago |
|---|---|---|---|---|

**5.** Y tú, ¿recuerdas el primer día de la "la vuelta al colegio"? ¿Cómo te sentías? Compáralo con cómo te sientes ahora, cuando vuelves al trabajo después de las vacaciones.

Antes, cuando era pequeño, el día de la vuelta al colegio me sentía_____

Estaba muy _____ porque _____

y porque _____.

Pero_____

Ahora, cuando vuelvo al trabajo después de las vacaciones, es similar / es diferente porque me

siento _____ y porque

_____.

**6.a. Lee este texto y completa los huecos con los verbos señalados y las casillas sombreadas con alguna de las siguientes expresiones.**

❏ entonces ❏ cuando eran niñas ❏ en otras épocas ❏ hace unos años / años atrás

¿En la actividad 6 tienes que hacer cosas muy diferentes y complejas: comprender y escribir textos, completar huecos, conjugar verbos, etc. ¿Crees que puedes hacer algo para REDUCIR TU NERVIOSISMO? Después, comenta con tus compañeros tu experiencia.

A veces estamos tan acostumbrados a la comodidad de la tecnología moderna que nos cuesta trabajo imaginarnos cómo _____ (vivir) antes sin ella. Ahora _____ (hacer) la compra por Internet, _____ (contar) con servicios de planchado a domicilio, _____ (tener) lavadoras y lavavajillas automáticos. Internet y la domótica nos hablan ya de la casa inteligente, de lavadoras que hablan, de cocinas que cocinan solas... Gracias a los avances tecnológicos y sobre todo a Internet ahora no _____ (dedicar) demasiado tiempo a tareas que _____ (costar) mucho esfuerzo y _____ (suponer) hasta cierto peligro.

Uno de los ámbitos donde más evidente se hizo el beneficio de los adelantos técnicos y científicos fue el espacio doméstico. ¿Has pensado cómo _____ (ser) la vida apenas _____ sin algunos instrumentos que hoy se _____ (usar) cotidianamente en muchos hogares? Los frigoríficos, las aspiradoras, las planchas, las lavadoras y demás electrodomésticos no empezaron a entrar en las casas hasta los años treinta del siglo XX. _____ las labores domésticas _____ (realizarse) con aparatos que _____ (funcionar) mecánicamente o con vapor. El uso de electrodomésticos cambió la vida práctica de muchas familias, (especialmente de las mujeres) que pudieron sustituir aquellos viejos cacharros que se utilizaban en sus casas _____ por modernos electrodomésticos.

**b. Lee los siguientes testimonios y escribe después algunas ideas acerca de las repercusiones que ha tenido la introducción de la tecnología en los hogares**

"Entre el carbón de la cocina y el que se necesitaba para calentar el agua del baño se destruyeron muchos bosques de la zona, porque entonces se usaba carbón de encina"

"Para calentar el agua del baño teníamos un calentador eléctrico que era un tubo metálico con una resistencia encendida que se metía dentro del agua. Fíjate qué peligroso, si metías el dedo en el agua, te daba un calambre"

"Las planchas eléctricas eran muy pesadas, te dolía el brazo de usarlas. Además se movían mal y por eso podías estar horas y horas planchando"

Gracias a la introducción de la tecnología en los hogares, _____.

Por otra parte, también hay que señalar que debido a _____.

**7.a.** ¿Qué afirmación (a o b) crees que resume mejor la información que aparece en el siguiente recuadro?

a) El tiempo no para. Su naturaleza es un misterio.

b) El tiempo es subjetivo. Sentimos su duración de manera distinta, según nuestra experiencia del mismo.

> Es muy distinto pasar un minuto bajo el agua, que un minuto jugando con los amigos.

**b.** Y tú, ¿siempre has tenido la misma sensación del tiempo? Piensa en las siguientes situaciones y completa los datos de la tabla. Observa el ejemplo.

a) Un minuto que te pareció eterno.

b) Un día que se te hizo muy corto.

c) Una semana que te pareció interminable.

d) Un año que pareció muy corto.

e) Un año que te pareció un siglo.

> En alguna de las situaciones que has recordado ¿crees que pudiste haber hecho algo para REDUCIR TU NERVIOSISMO? Coméntalo con tu compañero.

| ¿QUÉ PASÓ EN ESE PERÍODO DE TIEMPO? | ¿POR QUÉ LO VIVISTE ASÍ? (Circunstancias pasadas en que se produjo lo ocurrido) |
|---|---|
| a) *Tardaron 1 minuto en decirme por teléfono la nota de un examen.* | a) *Estaba muy nervioso. Era la última asignatura para terminar mi carrera.* |
| b) | b) |
| c) | c) |
| d) | d) |
| e) | e) |

☺☺ **C.** Comenta esos recuerdos y sensaciones con un compañero. ¿Coincide contigo en algo?

**8.a.** La historia del tiempo es la historia del reloj. Lee la información de la tabla y completa el texto con los siguientes verbos y expresiones.

| revolucionar | lograr | ~~inaugurar~~ | dar un giro | aparecer |
|---|---|---|---|---|
| conseguir | transformar | sustituir | acabar con | |

**A)** Funcionan por vibraciones atómicas. Sólo tienen un error de un segundo cada 30.000 años.

**B)** Eran muy imprecisos y artesanales. Tenían errores de entre 15 y 30 minutos al día. Tenían que ser ajustados diariamente.

**C)** Eran muy caros. Sólo estaban al alcance de la alta sociedad. Había modelos de fantasía y con formas muy distintas: flores abiertas, animales, crucifijos y hasta cabezas de muertos.

**D)** En la primera guerra mundial los llevaban todos los oficiales del ejército. Funcionaban con sistemas de electroimanes. Un poco más tarde, los eléctricos funcionaban ya con pilas.

**E)** Funcionaban movidos fundamentalmente por la fuerza de la gravedad. Tenían una precisión parecida a la de los relojes de sol.

**F)** Eran muy pequeños. Cabían en un bolsillo. Se llevaban en una bolsa, sonaban cada hora y funcionaban durante 40 horas.

## LA HISTORIA DEL RELOJ

| | |
|---|---|
| XIII | A finales del siglo XIII *se inauguró* oficialmente la historia del reloj mecánico. |
| 1505 | Meter Henlein _____ construir relojes mecánicos de bolsillo. |
| XVI | Los relojes entraron en las casas de la alta sociedad y _____ el concepto de decoración de la época. |
| XVII | El invento del reloj de péndulo _____ el mundo del reloj. Supuso claramente un antes y un después. |
| 1812 | En ese año surgieron los primeros relojes de pulsera. Con el tiempo _____ a los relojes de bolsillo. Los relojes de pulsera eléctricos _____ en 1957. |
| 1967 | La aparición de los relojes atómicos _____ de 90° al mundo del reloj. Su precisión _____ para siempre ___ los errores de medición del tiempo. |

**b.** Ahora relaciona cada fecha con uno de los siguientes relojes.

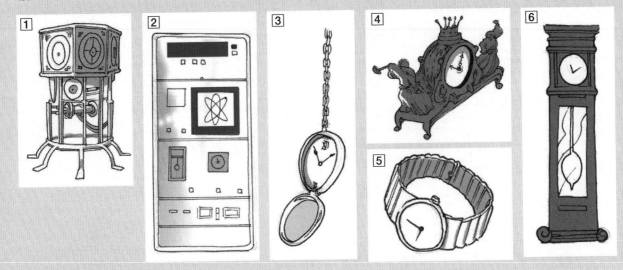

**c.** Lee los textos de las cajas de la actividad 8.a. y asócialos a un momento de la historia del reloj.

**9.** Lee con atención la información sobre el calendario mexica y señala después si las afirmaciones son verdaderas o falsas.

## CALENDARIO MEXICA

❏ Los calendarios de Mesoamérica se consideran uno de los elementos culturales que definen las antiguas civilizaciones prehispánicas de América.

❏ Uno de los calendarios de Mesoamérica más complejo, era el calendario mexica.

❏ Los mexicas tenían un año solar de 365 días.

❏ El año solar lo dividían en 18 meses de 20 días cada uno (360 días) más 5 días adicionales (360 + 5= 365 días del año solar).

❏ Los días de cada mes tenían los nombres que se ven en la ilustración.

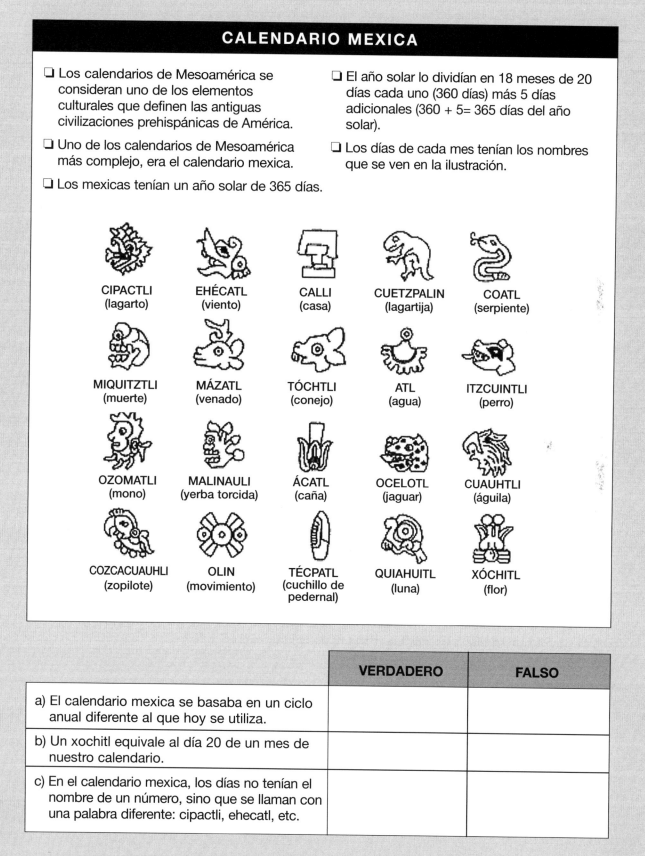

CIPACTLI (lagarto) — EHÉCATL (viento) — CALLI (casa) — CUETZPALIN (lagartija) — COATL (serpiente)

MIQUITZTLI (muerte) — MÁZATL (venado) — TÓCHTLI (conejo) — ATL (agua) — ITZCUINTLI (perro)

OZOMATLI (mono) — MALINAULI (yerba torcida) — ÁCATL (caña) — OCELOTL (jaguar) — CUAUHTLI (águila)

COZCACUAUHLI (zopilote) — OLIN (movimiento) — TÉCPATL (cuchillo de pedernal) — QUIAHUITL (luna) — XÓCHITL (flor)

|  | VERDADERO | FALSO |
|---|---|---|
| a) El calendario mexica se basaba en un ciclo anual diferente al que hoy se utiliza. |  |  |
| b) Un xochitl equivale al día 20 de un mes de nuestro calendario. |  |  |
| c) En el calendario mexica, los días no tenían el nombre de un número, sino que se llaman con una palabra diferente: cipactli, ehecatl, etc. |  |  |

**10.a.** El tiempo también pasa por el lenguaje. Relaciona las expresiones de la primera columna con las de la segunda.

| EL PASADO DEL LENGUAJE | EL PRESENTE DEL LENGUAJE |
| --- | --- |
| a) ¿Me das tu teléfono? | 1. Hacer turismo de aventura |
| b) Soltero/a | 2. Hacer trekking |
| c) Caminar entre piedras | 3. Profesional independiente |
| d) Viajar a cualquier lado y a cualquier precio | 4. Hacer algo que le sirve a uno como terapia |
| e) Hacer el tonto | 5. ¿Me das tu e-mail? |

**b.** Escucha y comprueba.

**11.** Observa las palabras resaltadas en 10. Todas contienen vocales que se pronuncian en la misma sílaba (son diptongos). Escucha y practica su pronunciación.

**12.a.** ¿Cuál era tu asignatura favorita en el colegio? Márcalo.

❏ Lengua
❏ Geografía
❏ Idiomas
❏ Expresión plástica
❏ Historia

❏ Literatura
❏ Educación física
❏ Ciencias de la naturaleza
❏ Matemáticas
❏ Física / Química

**b.** ¿Piensa en algo que aprendiste en esa asignatura y que todavía recuerdas con detalle. Cierra los ojos e imagina que estás viviendo de nuevo esa situación.

¿Qué ves y qué oyes? _____

¿Qué sientes? ¿Qué haces? _____

**c.** Ahora escribe sobre las condiciones que rodearon ese aprendizaje.

❏ ¿Por qué te gustaba esa asignatura más que otras?

_____

❏ ¿Cómo te sentías en las clases de esa asignatura? ¿Estabas motivado? ¿Por qué?

_____

❏ ¿Cómo podrías definir esa situación de aprendizaje? ¿Dulce, salada, agria, amarga, ácida, intensa…? ¿Por qué?

_____

**d.** ¿Recuerdas alguna situación en la que te costó mucho aprender algo o no lo conseguiste? Piensa de nuevo en lo que veías, oías, sentías y hacías en ese momento.

En alguna de esas situaciones ¿crees que pudo serte útil REDUCIR TU NERVIOSISMO?

_____

_____

_____

**e.** ¿Qué condiciones te ayudaron a aprender en la primera situación (12.c)? ¿Cuáles dificultaron tu aprendizaje en la segunda (12.d)? ¿Qué conclusiones puedes sacar para tu aprendizaje de español? Escríbelo.

_____

_____

_____

_____

☺☺ **f.** Comenta tus conclusiones con tus compañeros.

## DESARROLLO DE ESTRATEGIAS

☺☺ **13.a.** En clase, comenta con qué actividades te ha resultado más útil la estrategia de REDUCIR TU NERVIOSISMO y qué hiciste, en cada caso, para estar menos nervioso. ¿Tus compañeros han hecho algo diferente a ti?

**b.** ¿Y fuera del aula? Piensa en qué situaciones puede serte útil esta estrategia y escribe qué harías en cada caso.

| FUERA DEL AULA PUEDO PONERME NERVIOSO EN LAS SIGUIENTES SITUACIONES | PARA REDUCIR MI NERVIOSISMO PUEDO... |
|---|---|
| | |
| | |
| | |
| | |
| | |
| | |

☺☺ **c.** Comenta con tus compañeros las ideas que has escrito en la tabla anterior. ¿Tienen ellos otras buenas ideas? Toma nota de ellas.

**1. a.** Cuando estás escribiendo un texto en español y necesitas algunas palabras que no conoces ¿qué haces?

❏ Las busco en el diccionario.
❏ Pido ayuda a otra persona.
❏ Invento las palabras y las escribo.

❏ No sigo escribiendo.
❏ Otra cosa: _____

☺☺ **b.** Y si, además de palabras, necesitas escribir una estructura complicada y no sabes cómo, ¿qué haces? Coméntalo con tus compañeros.

**c.** Paul tiene que escribir un mensaje electrónico a un amigo mexicano pero necesita algunas palabras y estructuras que no conoce. Observa la estrategia que utiliza. ¿Haces tú lo mismo?

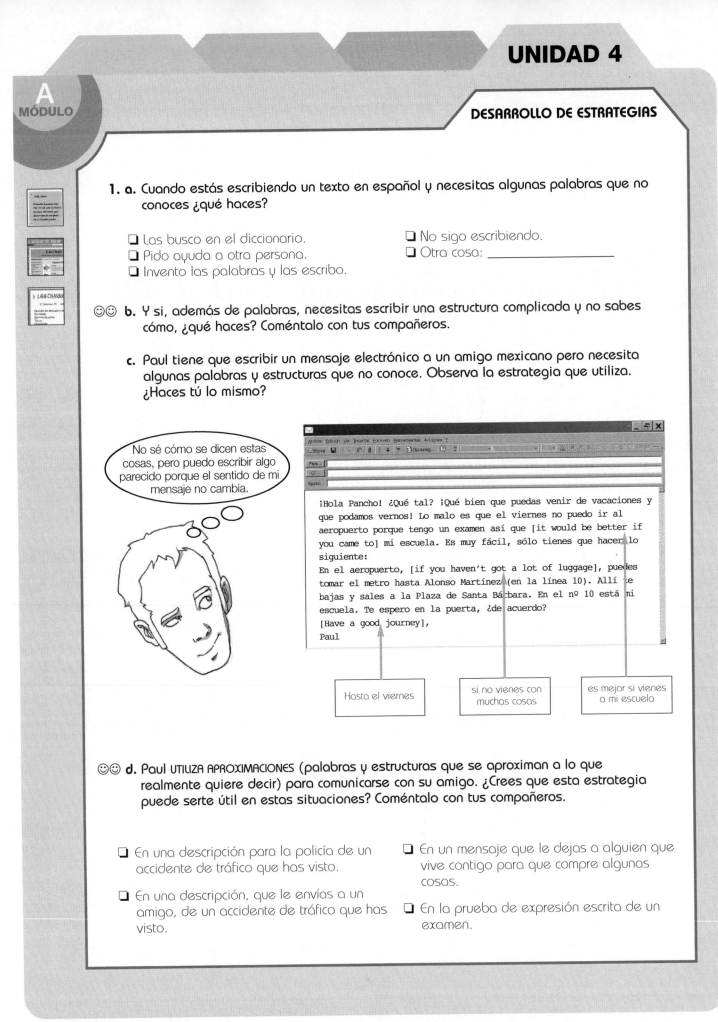

No sé cómo se dicen estas cosas, pero puedo escribir algo parecido porque el sentido de mi mensaje no cambia.

¡Hola Pancho! ¿Qué tal? ¡Qué bien que puedas venir de vacaciones y que podamos vernos! Lo malo es que el viernes no puedo ir al aeropuerto porque tengo un examen así que [it would be better if you came to] mi escuela. Es muy fácil, sólo tienes que hacer lo siguiente:
En el aeropuerto, [if you haven't got a lot of luggage], puedes tomar el metro hasta Alonso Martínez (en la línea 10). Allí te bajas y sales a la Plaza de Santa Bárbara. En el nº 10 está mi escuela. Te espero en la puerta, ¿de acuerdo?
[Have a good journey],
Paul

Hasta el viernes

si no vienes con muchas cosas

es mejor si vienes a mi escuela

☺☺ **d.** Paul UTILIZA APROXIMACIONES (palabras y estructuras que se aproximan a lo que realmente quiere decir) para comunicarse con su amigo. ¿Crees que esta estrategia puede serte útil en estas situaciones? Coméntalo con tus compañeros.

❏ En una descripción para la policía de un accidente de tráfico que has visto.

❏ En una descripción, que le envías a un amigo, de un accidente de tráfico que has visto.

❏ En un mensaje que le dejas a alguien que vive contigo para que compre algunas cosas.

❏ En la prueba de expresión escrita de un examen.

**2.a.** Observa las siguientes tarjetas. ¿Qué expresiones del cuadro se pueden emplear en cada una de ellas?

A

B

C

D

E

❑ ¡Enhorabuena! *Tarjetas b, d y e.*

❑ ¡Feliz cumpleaños! _____

❑ ¡Felices fiestas!_____

❑ ¡Que paséis un día muy feliz! _____

❑ ¡Me alegro mucho por ti/por vosotros! _____

❑ ¡Felicidades! _____

❑ ¡Feliz Navidad! _____

❑ ¡Que seáis muy felices! _____

❑ ¡Que cumplas muchos más! _____

Si lo consideras oportuno, puedes UTILIZAR APROXIMACIONES para escribir los textos de cada tarjeta. Después, comenta con tus compañeros qué aproximaciones has usado y si esta estrategia te ha ayudado a escribir los textos.

**b.** Escribe ahora el texto para cada una de las tarjetas de 2a.

❑ Piensa en una persona a la que podrías mandar esa tarjeta.

❑ Elige una fórmula de las anteriores para felicitarla.

❑ Añade alguna otra información y firma la tarjeta.

**3.a.** Señala en este calendario fechas importantes para ti.

| ENERO | | | | | | |
|---|---|---|---|---|---|---|
| L | M | X | J | V | S | D |
| | | | | | 1 | 2 |
| 3 | 4 | 5 | 6 | 7 | 8 | 9 |
| 10 | 11 | 12 | 13 | 14 | 15 | 16 |
| 17 | 18 | 19 | 20 | 21 | 22 | 23 |
| 24 | 25 | 26 | 27 | 28 | 29 | 30 |
| 31 | | | | | | |

| FEBRERO | | | | | | |
|---|---|---|---|---|---|---|
| L | M | X | J | V | S | D |
| | 1 | 2 | 3 | 4 | 5 | 6 |
| 7 | 8 | 9 | 10 | 11 | 12 | 13 |
| 14 | 15 | 16 | 17 | 18 | 19 | 20 |
| 21 | 22 | 23 | 24 | 25 | 26 | 27 |
| 28 | | | | | | |

| MARZO | | | | | | |
|---|---|---|---|---|---|---|
| L | M | X | J | V | S | D |
| | 1 | 2 | 3 | 4 | 5 | 6 |
| 7 | 8 | 9 | 10 | 11 | 12 | 13 |
| 14 | 15 | 16 | 17 | 18 | 19 | 20 |
| 21 | 22 | 23 | 24 | 25 | 26 | 27 |
| 28 | 29 | 30 | 31 | | | |

| ABRIL | | | | | | |
|---|---|---|---|---|---|---|
| L | M | X | J | V | S | D |
| | | | | 1 | 2 | 3 |
| 4 | 5 | 6 | 7 | 8 | 9 | 10 |
| 11 | 12 | 13 | 14 | 15 | 16 | 17 |
| 18 | 19 | 20 | 21 | 22 | 23 | 24 |
| 25 | 26 | 27 | 28 | 29 | 30 | |

| MAYO | | | | | | |
|---|---|---|---|---|---|---|
| L | M | X | J | V | S | D |
| | | | | | | 1 |
| 2 | 3 | 4 | 5 | 6 | 7 | 8 |
| 9 | 10 | 11 | 12 | 13 | 14 | 15 |
| 16 | 17 | 18 | 19 | 20 | 21 | 22 |
| 23 | 24 | 25 | 26 | 27 | 28 | 29 |
| 30 | 31 | | | | | |

| JUNIO | | | | | | |
|---|---|---|---|---|---|---|
| L | M | X | J | V | S | D |
| | | 1 | 2 | 3 | 4 | 5 |
| 6 | 7 | 8 | 9 | 10 | 11 | 12 |
| 13 | 14 | 15 | 16 | 17 | 18 | 19 |
| 20 | 21 | 22 | 23 | 24 | 25 | 26 |
| 27 | 28 | 29 | 30 | | | |

| JULIO | | | | | | |
|---|---|---|---|---|---|---|
| L | M | X | J | V | S | D |
| | | | | 1 | 2 | 3 |
| 4 | 5 | 6 | 7 | 8 | 9 | 10 |
| 11 | 12 | 13 | 14 | 15 | 16 | 17 |
| 18 | 19 | 20 | 21 | 22 | 23 | 24 |
| 25 | 26 | 27 | 28 | 29 | 30 | 31 |

| AGOSTO | | | | | | |
|---|---|---|---|---|---|---|
| L | M | X | J | V | S | D |
| 1 | 2 | 3 | 4 | 5 | 6 | 7 |
| 8 | 9 | 10 | 11 | 12 | 13 | 14 |
| 15 | 16 | 17 | 18 | 19 | 20 | 21 |
| 22 | 23 | 24 | 25 | 26 | 27 | 28 |
| 29 | 30 | 31 | | | | |

| SEPTIEMBRE | | | | | | |
|---|---|---|---|---|---|---|
| L | M | X | J | V | S | D |
| | | | 1 | 2 | 3 | 4 |
| 5 | 6 | 7 | 8 | 9 | 10 | 11 |
| 12 | 13 | 14 | 15 | 16 | 17 | 18 |
| 19 | 20 | 21 | 22 | 23 | 24 | 25 |
| 26 | 27 | 28 | 29 | 30 | | |

| OCTUBRE | | | | | | |
|---|---|---|---|---|---|---|
| L | M | X | J | V | S | D |
| | | | | | 1 | 2 |
| 3 | 4 | 5 | 6 | 7 | 8 | 9 |
| 10 | 11 | 12 | 13 | 14 | 15 | 16 |
| 17 | 18 | 19 | 20 | 21 | 22 | 23 |
| 24 | 25 | 26 | 27 | 28 | 29 | 30 |
| 31 | | | | | | |

| NOVIEMBRE | | | | | | |
|---|---|---|---|---|---|---|
| L | M | X | J | V | S | D |
| | 1 | 2 | 3 | 4 | 5 | 6 |
| 7 | 8 | 9 | 10 | 11 | 12 | 13 |
| 14 | 15 | 16 | 17 | 18 | 19 | 20 |
| 21 | 22 | 23 | 24 | 25 | 26 | 27 |
| 28 | 29 | 30 | | | | |

| DICIEMBRE | | | | | | |
|---|---|---|---|---|---|---|
| L | M | X | J | V | S | D |
| | | 1 | 2 | 3 | 4 | |
| 5 | 6 | 7 | 8 | 9 | 10 | 11 |
| 12 | 13 | 14 | 15 | 16 | 17 | 18 |
| 19 | 20 | 21 | 22 | 23 | 24 | 25 |
| 26 | 27 | 28 | 29 | 30 | 31 | |

**b.** Clasifica las fechas señaladas en 3.a. e indica por qué son importantes esas fechas para ti.

❑ Días festivos y fiestas religiosas: _____
❑ Cumpleaños y aniversarios: _____
❑ Celebraciones familiares: _____
❑ Otras: _____

☺☺ **c.** Completa tu calendario de 3.a. apuntado celebraciones importantes en tu cultura y luego compáralo con el de tus compañeros.

❑ ¿Qué fechas coinciden? ¿Corresponden a las mismas celebraciones?
❑ ¿Qué celebraciones son distintas?

**4.a.** Un español y una colombiana cuentan lo que hacen en fechas importantes en su cultura. Escúchalos y completa la tabla.

| | ¿De qué fiesta habla? | ¿Qué hace en ella? |
|---|---|---|
| Mario | | |
| Gloria | | |

**b.** ¿Cómo celebras tú esas ocasiones? ¿Qué sueles hacer?

a) El 31 de diciembre suelo _____

b) En mi país el _____ es _____ . La gente suele_____ _____

   Yo _____

**5.a. Lee el siguiente cartel y escribe la invitación para la fiesta de aniversario que la escuela va a enviar a los antiguos alumnos.**

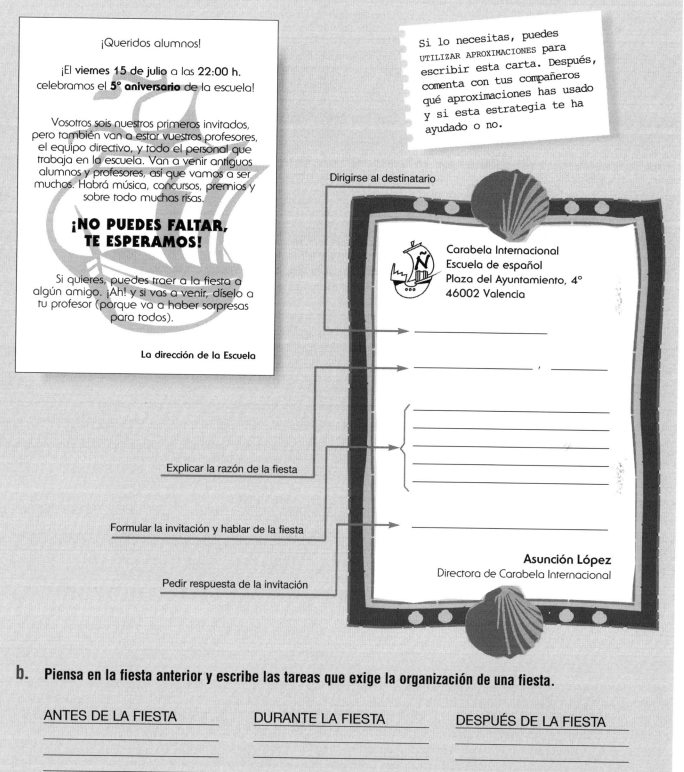

¡Queridos alumnos!

¡El **viernes 15 de julio** a las **22:00 h.** celebramos el **5° aniversario** de la escuela!

Vosotros sois nuestros primeros invitados, pero también van a estar vuestros profesores, el equipo directivo, y todo el personal que trabaja en la escuela. Van a venir antiguos alumnos y profesores, así que vamos a ser muchos. Habrá música, concursos, premios y sobre todo muchas risas.

**¡NO PUEDES FALTAR, TE ESPERAMOS!**

Si quieres, puedes traer a la fiesta a algún amigo. ¡Ah! y si vas a venir, díselo a tu profesor (porque va a haber sorpresas para todos).

**La dirección de la Escuela**

Si lo necesitas, puedes UTILIZAR APROXIMACIONES para escribir esta carta. Después, comenta con tus compañeros qué aproximaciones has usado y si esta estrategia te ha ayudado o no.

Dirigirse al destinatario

Carabela Internacional
Escuela de español
Plaza del Ayuntamiento, 4°
46002 Valencia

Explicar la razón de la fiesta

Formular la invitación y hablar de la fiesta

Pedir respuesta de la invitación

**Asunción López**
Directora de Carabela Internacional

**b. Piensa en la fiesta anterior y escribe las tareas que exige la organización de una fiesta.**

| ANTES DE LA FIESTA | DURANTE LA FIESTA | DESPUÉS DE LA FIESTA |
|---|---|---|
| | | |
| | | |
| | | |

☺☺ **c. Con tus compañeros, piensa en qué personas de la clase harían mejor cada una de las tareas de 5b y por qué.**

**6.a.** Relaciona los mensajes de teléfono móvil enviados con su correspondiente respuesta. Como ayuda, puedes leer la información del recuadro.

**Normas básicas para escribir y entender mensajes SMS**

1. No hay artículos.
2. No hay tildes.
3. Aparecen muchas abreviaturas y estas no llevan punto.
4. La letra *t* no va precedida ni seguida de vocales.
5. La sílaba –*ca* es *k*.
6. La sílaba *es*- al principio de palabra es *s*-.
7. La conjunción *que* es *q*.
8. Se pierden vocales.
9. La letra *ch* es *x*.

**A**
P q n t vns a fiest? Staremos tdos.

**B**
T invit cenar sta nxe fuera kasa.

**C**
Si pero ya la he vist. Buscamos otra.

**D**
T apetce ir cine nuev peli Amenábar ste fin d smn?

**E**
S q tngo q stdiar.

**F**
Prfect. Asi n cocinams.

**b.** Ahora transforma en diálogos los mensajes anteriores. Además de los textos de arriba, incluye en ellos más información sobre:

❏ Detalles acerca de las invitaciones (hora, lugar, etc.).
❏ Propuesta para quedar.
❏ Otras excusas, si la invitación no se acepta.

*Si crees que puede serte útil, puedes USAR APROXIMACIONES para escribir estos diálogos.*

Diálogo A:

A: ¿*Por qué no* _____
_____ ?

B: _____
_____

Diálogo B:

A: _____ *cine*
_____ ?

B: _____
_____

Diálogo C:

A: _____
_____

B: _____
_____

**7.** Relaciona las propuestas con la excusa que se puede dar en cada caso para rechazarlas.

| Propuestas | Excusas |
| --- | --- |
| a) Ver una película de Julio Medem. | 1. Es un sitio muy cerrado y hay humo. |
| b) Ir a un bar a escuchar música en directo. | 2. Hay mucho tráfico y siempre hay problemas para aparcar. |
| c) Ir al centro de la ciudad. | 3. Seguro que volvemos tarde y al día siguiente hay que madrugar. |
| d) Salir a cenar. | 4. Ha leído las críticas y no la ponen bien. |

**8.** ¿Aceptas o rechazas estas invitaciones? Responde utilizando las palabras del recuadro. Si no aceptas, recuerda que es importante explicar por qué.

| | | | | |
|---|---|---|---|---|
| Lo siento… | Es que… | Vale. | No puedo. | Tengo que… |
| Estupendo. | Me gustaría pero… | Vale. | Genial, me apetece un montón. | |
| No, no me apetece. | No sé si voy a poder porque… | | Bueno, es una buena idea. | |

a) He quedado con unos amigos para hacer *puenting*. ¿Te apetece venirte con nosotros?

_No sé… No sé si voy a poder porque…_

b) Javier y yo vamos a ir a un restaurante marroquí. Dicen que hacen un *couscous* muy rico. ¿Por qué no te vienes?

c) La semana que viene está *Il Trovatore* de Verdi en el Teatro Real. ¿Qué te parece si sacamos las entradas?

d) El sábado retransmiten el partido del Barça contra el Inter de Milán. Te invito a ver el partido en casa y luego ya cenamos.

e) Mañana salimos al campo en plan tranquilo con los niños. ¿Y si te vienes con nosotros y así de paso conoces algo de los alrededores de Cartagena?

**9.** Localiza en la siguiente imagen comidas, elementos de decoración y ropa habitual en las fiestas españolas y anótalos.

a) _____
b) _____
c) _____
d) _____
e) _____
f) _____
g) _____
h) _____
i) _____
j) _____
k) _____
l) _____
m) _____
n) _____
o) _____
p) _____
q) _____
r) _____

**10.a.** Escucha las palabras relacionadas con las fiestas que has anotado en la actividad 9.a y clasifícalas en este gráfico. Fíjate en el esquema que se incluye para las palabras agudas y llanas.

PALABRAS AGUDAS

_____

Café

_____

Collar

_____

_____

PALABRAS LLANAS

_____

Bailan

_____

Aceitunas

_____

**b.** Pronuncia ahora en voz alta las palabras del gráfico.

**c.** Observa el resultado del gráfico. ¿Puedes extraer alguna regla para la aparición de la tilde? Relaciona la siguiente información.

a) Palabras agudas      Llevan tilde cuando no acaban en –n, -s o vocal (azúcar, examen).

b) Palabras llanas      Llevan tilde cuando acaban en –n, -s o vocal (reloj, canción)

**11.a.** ¿Cómo se llaman los alimentos de estos platos?

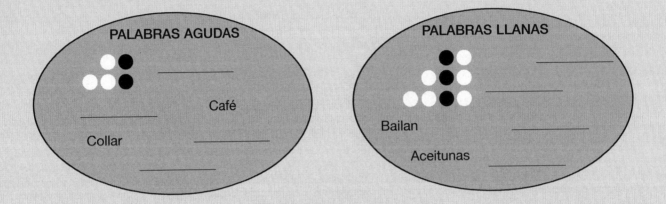

A        B        C        D

_____   _____   _____   _____

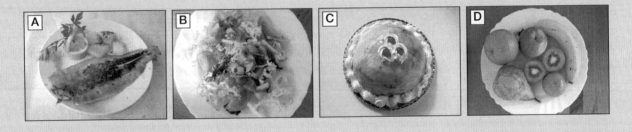

E        F        G        H

_____   _____   _____   _____

**b.** Clasifica ahora los platos anteriores.

❑ Primeros platos: _____   ❑ Segundos platos: _____   ❑ Postres: _____   ❑ Comida rápida: _____

**12.** Recibes la visita de un amigo y vas a un restaurante a comprar comida para llevar. ¿Qué platos del menú eliges para él? ¿Por qué?

☹!    ☹    😐    🙂    🙂!

queso    carne    pescado    verdura    dulce

pollo    fruta    leche    huevos    pasta

       sopas             fritos    patatas

                                                   fritas

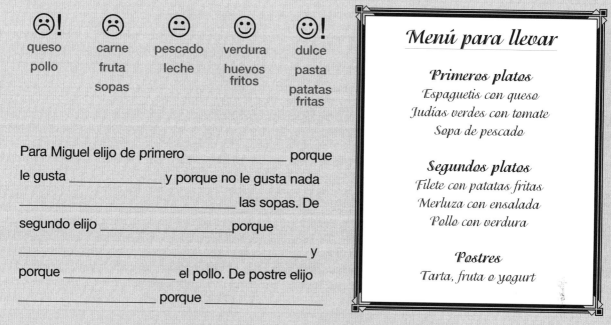

*Menú para llevar*

**Primeros platos**
Espaguetis con queso
Judías verdes con tomate
Sopa de pescado

**Segundos platos**
Filete con patatas fritas
Merluza con ensalada
Pollo con verdura

**Postres**
Tarta, fruta o yogurt

Para Miguel elijo de primero _____ porque le gusta _____ y porque no le gusta nada _____ las sopas. De segundo elijo _____porque _____ y porque _____ el pollo. De postre elijo _____ porque _____

**13.a.** Escucha y anota qué piden cada una de estas personas en el restaurante.

De primero:
_____

De segundo:
_____

De postre:
_____

¿Café o té?:
_____

De primero:
_____

De segundo:
_____

De postre:
_____

¿Café o té?:
_____

**b.** Lee estos textos. ¿Qué perfil tienen Gregorio y Catherina según los platos que eligen para comer?

| "Comedor" sabio | "Comedor" razonable | "Comedor" desordenado |
|---|---|---|
| Tiene buenos hábitos de alimentación. Nunca toma dulces y toma comidas ligeras y no muy grasas. Come siempre a la misma hora y nunca se salta una comida. | Cuida su alimentación, pero a veces hace algún exceso, por ejemplo toma dulces o come comidas grasas. Le preocupa su salud, pero también disfruta con la comida. | Come platos con mucha grasa. No le gustan las frutas, ni las verduras. Tampoco toma leche ni queso. A veces se salta comidas, especialmente cuando tiene mucho trabajo |

😊😊 **c.** Piensa en algunas preguntas relacionadas con los hábitos alimenticios y házselas a tu compañero para saber si es un "comedor" sabio, razonable o desordenado.

**14.** **¿Qué comentarios haces de una comida en las siguientes situaciones?**

a) Cuando estás tomando un té que no tiene nada de azúcar: ¡Está muy _____!

b) Cuando pruebas una sopa que tiene mucha sal: ¡Está muy _____!

c) Cuando notas que se te ha olvidado echar sal al plato que has cocinado: ¡Está muy _____!

d) Cuando tomas un yogurt azucarado y por equivocación le echas más azúcar:

¡Está demasiado _____!

e) Cuando te encanta el plato de comida que estás comiendo: ¡Está muy _____!

**15.a.** **Describe qué ingredientes llevan y cómo se preparan los platos de las fotografías. Utiliza el vocabulario del recuadro y la forma se + verbo.**

¿Crees que puede serte útil el USO DE APROXIMACIONES para escribir cómo se preparan estos platos? Si utilizas alguna, coméntaselo a tus compañeros.

❏ calentar
❏ pelar
❏ picar
❏ trocear
❏ servir al horno
❏ crudo
❏ a la plancha
❏ a la parrilla
❏ en su punto
❏ poco hecho/a
❏ muy hecho/a

a) _Se fríe la carne en la sartén. A continuación se corta el pan de la hamburguesa por la_ _mitad..._

b) _____

_____

c) _____

_____

**b.** ¿Relacionas los platos anteriores con algún país determinado? ¿Con cuál? Después, contesta a las siguientes preguntas.

a) _____  b) _____  c) _____

❑ ¿En tu país qué aceptación tiene la comida rápida? _____

_____

❑ ¿Hay comidas rápidas nacionales? ¿Cuáles? _____

_____

❑ ¿Hay platos de comida rápida importada de otras culturas? ¿Cuáles? _____

_____

## DESARROLLO DE ESTRATEGIAS

**16.a.** ¿Recuerdas en qué actividades has UTILIZADO APROXIMACIONES? ¿Te ha sido útil esta estrategia para hacer esas actividades o no? Completa esta tabla.

| LA ESTRATEGIA ME HA SIDO ÚTIL EN ESTAS ACTIVIDADES | LA ESTRATEGIA NO ME HA SERVIDO DE MUCHO EN ESTAS ACTIVIDADES |
|---|---|
| | |
| | |
| | |
| | |
| | |
| | |

☺☺ **b.** Comenta con tus compañeros qué otra estrategia podría ser útil para hacer las actividades que has anotado en la columna de la derecha.

☺☺ **c.** ¿En qué situaciones puede servirte UTILIZAR APROXIMACIONES fuera del aula? ¿Crees que también puede servirte para hablar? ¿En qué momentos? Coméntalo con tus compañeros.

**1. a.** ¿Sueles decir o pensar estas cosas? Señala tu respuesta en la tabla.

| | Nunca o casi nunca | Alguna vez | Con frecuencia |
|---|---|---|---|
| ❑ Aún me falta mucho vocabulario. | | | |
| ❑ Los verbos españoles son muy difíciles. | | | |
| ❑ No entiendo nada de lo que dice el profesor. | | | |
| ❑ Me aburre escribir textos en español. | | | |
| ❑ No me gusta hablar con mis compañeros. | | | |
| ❑ ¡Qué difícil es entender las audiciones del CD! | | | |
| ❑ Lo que hacemos en clase es una pérdida de tiempo. | | | |

**b.** Desde tu punto de vista, ¿qué puede hacer un estudiante que quiere aprender español y que expresa sentimientos como los anteriores? Escríbelo.

_____

_____

_____

**c.** Observa lo que piensa Paul. ¿Coincide con lo que acabas de escribir?

¡Qué difícil es la clase de hoy! No me extraña... Está saliendo mucho vocabulario nuevo y muy complicado. No entiendo nada...

Bueno... ¡No puedo ser tan negativo! Es verdad que ha salido mucho vocabulario pero... ¡qué bien! En esta clase voy a aprender muchas palabras nuevas. Y sí que entiendo bastantes cosas... ¡Qué exagerado soy!

**d.** Paul utiliza la estrategia de HACER POSITIVOS LOS SENTIMIENTOS NEGATIVOS para ayudarse en su aprendizaje del español. En tu cuaderno, intenta transformar algunos de tus sentimientos negativos para hacerlos positivos.

| ☹ A veces pienso esto del español, las clases, el profesor, mis compañeros... | ☺ Pero es mucho mejor pensar esto... |
|---|---|
| _____ | _____ |
| _____ | _____ |
| _____ | _____ |

# UNIDAD 5

**2.a.** ¿Qué tienen en común las personas de las distintas imágenes?

| A | B | C |
|---|---|---|
| Les gusta | Les gusta | No les gusta |
| _____ | _____ | _____ |
| _____ | _____ | _____ |

**b.** ¿Qué buscan las personas en los grupos? Lee las siguientes definiciones y explicaciones y completa las palabras de la segunda columna.

|  | **SUSTANTIVOS** |
|---|---|
| a) Compartir con otras personas las mismas ideas o características para distinguirse de otros grupos. | I D E N T I F I C A C I O N |
| b) Entretenimiento para olvidarse de la rutina de la vida diaria. | D I _ E _ S I _ _ |
| c) Asesoramiento para cuestiones concretas, por ejemplo, para buscar un trabajo. | O _ I _ _ T A _ _ O _ |
| d) Ayuda para superar un problema. | A P _ Y _ |
| e) Unión con otras personas para luchar por objetivos comunes, por ejemplo, para mejorar los servicios del barrio. | C _ L _ B _ _ _ C _ _ _ |
| f) Vida en compañía de otras personas. | C _ N V _ V _ _ _ I _ |
| g) Unión o cercanía de otras personas. | C _ _ P _ Ñ _ _ |
| h) Entendimiento de los problemas que tiene otro. | C _ M P _ _ _ S _ _ _ |

**c.** Señala ahora ejemplos de grupos, asociaciones u organizaciones a las que se apunta la gente con las motivaciones anteriores. Compara tus resultados con los de tus compañeros.

¿Hay algo que no te guste hacer, en clase, con tus compañeros? Intenta TRANSFORMAR ESOS SENTIMIENTOS Y HACERLOS POSITIVOS con ayuda de las palabras de 2.b. ¿Crees que los sentimientos positivos te pueden ayudar a trabajar con tus compañeros?

a) Un grupo de un partido político.
b) Un club de senderismo.
c) _____
d) _____
e) _____
f) _____
g) _____
h) _____

**3.a.** En todos los grupos, normalmente hay personas que responden a los cuatro perfiles que se describen a continuación. Relaciona los siguientes adjetivos con uno de esos perfiles.

| | | | | |
|---|---|---|---|---|
| trabajador | comprensivo | individualista | extrovertido | maduro |
| flexible | detallista | original | entusiasta | constante |
| organizado | sociable | simpático | amable | buen comunicador |
| colaborador | innovador | supersticioso | maniático | introvertido |

### A. RESOLUTIVO

a) Son buenos comunicadores.
b) Son muy comunicativos; hablan de sus experiencias y sentimientos.
c) Suelen ser muy divertidos y alegres; caen bien a la gente.
d) Se llevan bien con todo el mundo y gozan de popularidad.
e) Contagian su vitalidad y energía al grupo.

*buen comunicador*
_____
_____
_____
_____

### B. IMPLEMENTADOR

a) Son personas que no dejan de esforzarse nunca.
b) Les gusta el trabajo duro.
c) Son obsesivos en su forma de trabajar; no saben hacerlo si no siguen siempre el mismo plan.
d) Les gusta mejorar los pequeños detalles del trabajo que están realizando y no paran hasta conseguir un resultado satisfactorio.
e) Organizan y planifican muy bien las tareas.

_____
_____
_____
_____
_____

### C. COHESIONADOR

a) Son personas de carácter suave y sensible.
b) Se preocupan mucho por los demás y saben escuchar a los otros y ponerse en su lugar.
c) Tienen experiencia vital y eso les ayuda, puesto que son ellos los que resuelven los conflictos en los grupos.
d) Saben adaptarse a las distintas situaciones.
e) Siempre están pensando en qué tareas pueden facilitar el trabajo de los demás.

_____
_____
_____
_____
_____

### D. CREATIVO

a) Son personas generadoras de ideas.
b) Son ingeniosos e imaginativos.
c) Son difíciles en los grupos, porque a veces piensan que trabajar en equipo es una pérdida de tiempo.
d) Suelen ser tímidos y desordenados.
e) Algunos tienen costumbres algo extravagantes y a veces llevan consigo objetos que les dan suerte.

_____
_____
_____
_____
_____

**b.** Escucha cómo reaccionan las siguientes personas ante un problema que ha surgido en su grupo. Relaciona las frases que dicen con uno de los perfiles anteriores.

a _____   c _____

b _____   d _____

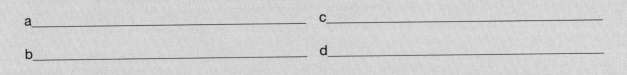

☺☺ **c.** Vuelve a escuchar los comentarios de estas personas. ¿Con cuál te identificas más? ¿Cómo sueles reaccionar cuando surge un problema en tu grupo? Háblalo con tus compañeros de clase.

# UNIDAD 5

**4.a.** Completa este crucigrama.

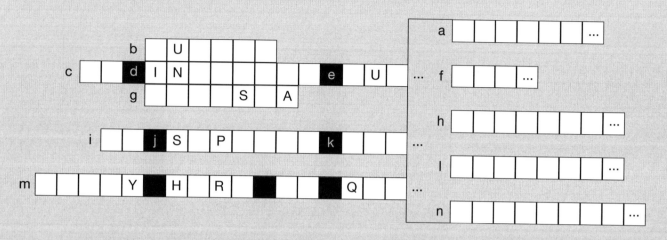

A. Presente de subjuntivo de hablar, en 2ª persona del singular.

B. Verbo para indicar que se te abre la boca y no precisamente por sueño, en 3ª persona del singular; empieza por a.

C. Equivale a "a mí".

D. Verbo para expresar que algo te produce intranquilidad, en 3ª persona del singular.

E. Conjunción de tres letras que has visto en la unidad.

F. Presente de subjuntivo de ser, en 3ª persona del singular.

G. Verbo que utilizas cuando quieres decir que algo te desagrada, en 3ª persona del singular; empieza por m.

H. Presente de subjuntivo de estar; 1ª persona del plural.

I. Negación.

J. Verbo que aparece en expresiones negativas para expresar justo lo contrario de encantar; en 3ª persona del singular.

K. Lo que has puesto en e.

L. Presente del subjuntivo de hablar; 2ª persona del plural.

M. Expresión muy utilizada en español compuesta por cuatro palabras para expresar que algo te causa mucho enfado. Es la expresión formal equivalente a Estoy hasta las narices de que…

N. Presente de subjuntivo de escribir; 3ª persona del plural.

**b.** **¿Qué actitudes de otras personas te aburren, te molestan, te enfadan o te hacen estar harto? ¿Por qué? Escribe sobre ello y pon en práctica las estructuras que están recogidas en el crucigrama anterior.**

*Me molesta que otras personas fumen delante de mí. Yo no fumo y no quiero ser un*

*fumador pasivo.*

_____

_____

_____

_____

_____

_____

¿Hay algo que te aburra, moleste, enfade... cuando usas o aprendes el español? Habla con tus compañeros de esas situaciones e intenta BUSCAR ALGO POSITIVO en ellas.

**5.a.** Haz esta prueba y averigua si eres una persona simétrica o asimétrica.

|  | Sí | No |
|---|---|---|
| • ¿Tienes una mano más grande que otra? Júntalas y compruébalo. |  |  |
| • Obsérvate los dedos de las dos manos. ¿Alguno de ellos es especialmente largo o pequeño? |  |  |
| • ¿Y tus ojos? ¿Tienes uno un poco más grande o abierto que el otro? |  |  |
| • ¿Y tus orejas? ¿La derecha es un poco más larga o grande que la izquierda? ¿Está una más separada de la cabeza que la otra? |  |  |
| • ¿Y tus brazos? ¿Uno es un poquito más largo o más fuerte que el otro? |  |  |
| • ¿Tienes un pie un poco más largo que el otro? |  |  |
| • ¿Normalmente el zapato de un pie te queda más ajustado que el del otro? |  |  |

**RESULTADOS:**

❑ Persona asimétrica (3 o más respuestas afirmativas)
❑ Persona simétrica (Sólo 1 o 2 respuestas afirmativas)

**b.** Ahora lee el siguiente texto y señala si estas afirmaciones son verdaderas o falsas.

a) Las personas con extremidades desiguales han tenido problemas en su desarrollo físico y emocional.

b) Tener las orejas excesivamente grandes está relacionado con un carácter agresivo.

c) El estudio señala que las personas "asimétricas" tienen mayor tendencia a verbalizar su malestar hacia las cosas.

### FÍJATE EN SUS OREJAS ANTES DE HACER ENFADAR A ALGUIEN

Es aconsejable fijarse en las orejas de un extraño antes de provocarlo o hacerlo enfadar por cualquier motivo, recomendaron el lunes investigadores estadounidenses.

Los expertos determinaron que los hombres y mujeres con extremidades asimétricas o desiguales (orejas, dedos o pies de diferentes tamaños o formas) tienen más tendencia a reaccionar agresivamente cuando se les molesta o provoca y a manifestar o a verbalizar sus aversiones hacia las cosas. El estudio parece haber encontrado una relación entre tener partes del cuerpo asimétricas y ser un "quejica" y estar continuamente protestando por todo. Según un equipo en la Universidad Estatal de Ohio, el hallazgo podría tener sentido. Fumar o beber durante el embarazo podría estresar al feto de diferentes formas, causando no sólo pequeñas imperfecciones físicas, que se aprecian en las asimetrías corporales, sino también un menor control de los impulsos y de las emociones. Y esa falta de control emocional en los adultos puede corresponderse con esa tendencia a desarrollar aversiones o manías hacia algo.

(Texto adaptado de http://limalimon.terra.com.mx/articulos/603.htm)

# UNIDAD 5

**6.a.** ¿En clase de español te quejas mucho? Señala cuáles de estas frases has dicho o pensado alguna vez.

1) "¡Qué rollo! No soporto las actividades de gramática."

2) "Me obsesiona el subjuntivo. Es muy difícil".

3) "Me preocupa que todos hayan hecho la actividad mejor que yo".

4) "Estoy harto de cometer los mismos errores."

5) "Esta forma de agruparnos es nueva y no me gusta nada."

Antes de hacer la actividad 6.b., ¿puedes escribir alguna otra de tus quejas o de tus pensamientos negativos en el aula de español?

**b.** ¿Crees que este tipo de pensamientos te ayudan en tu aprendizaje? Relaciona los pensamientos anteriores con sus correspondientes pensamientos positivos.

a) "Si me corrigen varias veces, seguro que me ayuda a mejorar."

_____

b) "Esta forma de trabajar es nueva, a lo mejor, me gusta."

_____

c) "Voy a fijarme en qué estrategias han utilizado ellos y la próxima vez voy a hacerlo mejor."

_____

d) "Me voy a dar una oportunidad para descubrir la gramática."

_____

e) "El subjuntivo es difícil, pero puedo aprender a usarlo y es un nuevo reto."

_____

Intenta BUSCAR LO POSITIVO en las quejas y pensamientos negativos que has escrito antes.
Después, comenta esos cambios de punto de vista con tus compañeros.

# UNIDAD 5

**7. a. Completa el siguiente texto y descubre las manías y obsesiones de los siguientes signos del Zodiaco.**

 **a)** A los Aries no _____ (gustar, a vosotros) las cosas mal hechas. Sentís atracción por los temas ocultos, pero os da miedo que alguien _____ (echar, a vosotros) las cartas para leer vuestro futuro.

 **b)** Los Leo sois excesivamente responsables. Estáis hartos de _____ (trabajar) hasta el agotamiento. Vuestra obsesión oculta es estar un día sin "hacer nada".

 **c)** Amigo Sagitario, tu obsesión es el orden. _____ (molestar, a ti) que tu pareja no _____ (ser) muy ordenada y que no _____ (cuidar) las cosas como tú. A los de tu signo no _____ (aburrir, a vosotros) la comida, porque ésta es vuestra pasión oculta.

 **d)** A ti Tauro no _____ (gustar) unas vacaciones convencionales. Tu pasión está en los viajes. Amas el arte y _____ (molestar) las cosas vulgares.

 **e)** Virgo, eres un hipocondríaco. Te da miedo incluso _____ (hablar) de médicos. Te da pánico que un especialista te _____ (mandar) unas pruebas de control. Tu obsesión es la muerte.

 **f)** Amigo Capricornio eres incompatible con el estrés. Estás harto de que tus jefes te _____ (exigir) siempre trabajar al límite. Tu obsesión oculta eres tú mismo. Controla tu egoísmo.

 **g)** Un Géminis no _____ (soportar) el hecho de estar encerrado. A una persona de este signo no le gusta nada que la gente _____ (ir) a visitarle a casa porque le gusta la soledad.

 **h)** A los Libra no os gusta nada que las personas de vuestro entorno _____ (discutir). Vuestra obsesión: evitar los conflictos.

 **i)** A un Acuario _____ (encantar, a él) los cambios. Su obsesión: cambiar de trabajo varias veces a lo largo de su vida. Su manía: que su pareja o su socio le _____ (dejar) controlar su dinero.

 **j)** A los Cáncer les _____ (gustar) mucho el dulce. Esa es su manía y su obsesión. No _____ (gustar, a ellos) nada los cambios. Son personas muy sacrificadas.

 **k)** La manía de los Escorpio es la competición y el riesgo. No soportan que otros _____ (conseguir) las metas que ellos no alcanzan. Su obsesión: superarse.

 **l)** Los Piscis son personas muy sensibles que no soportan que _____ (haber) sufrimiento en el mundo. Su obsesión: conservar a su pareja y compartir con ella toda su vida.

**b.** ¿Estás de acuerdo con la descripción de estos signos? ¿Tienes esas manías u obsesiones? ¿Tienes otras? ¿Cuáles?

_____

_____

_____

> ¿Crees que tus manías y obsesiones pueden APORTAR ALGO POSITIVO a tu aprendizaje del español? Coméntalo con algún compañero.

**8.a.** Escucha y apunta las palabras que oyes. Intenta asociar cada palabra a un recuerdo de tu pasado y escríbelo.

**Palabra**

**Me recuerda a...**

a) _Sábado_     _Cuando estaba en la universidad y salía con mis compañeros todos los fines de semana_

b) _____ _____

c) _____ _____

d) _____ _____

e) _____ _____

f) _____ _____

☺☺ **b.** ¿Has asociado las palabras anteriores a experiencias positivas o negativas? ¿Por qué? Habla con tus compañeros de las experiencias que a ellos les recuerdan esas palabras.

> ¿Crees que vivir experiencias negativas puede aportarnos cosas positivas? PIENSA EN LO POSITIVO que te aportó alguna mala vivencia.
> ¿Puedes hacer lo mismo con alguna de tus experiencias de aprendizaje del español?

**9.** Aquí tienes escritas de nuevo las palabras de 8.a. Vuelve a escucharlas, fíjate en su pronunciación y repítelas.

| sábado | matemáticas | médico | teléfono | relámpago | música |
|---|---|---|---|---|---|

❏ ¿Cuáles de estos esquemas de pronunciación no corresponde a ninguna de ellas?

a) ●●    b) ●●●    c) ●●●●●    d) ●●●●    e) ●●●    f) ●●

❏ ¿Gráficamente qué tienen en común todas esas palabras? ¿Puedes deducir alguna regla para el acento gráfico? ¿Cuál?

_____

**10.** ¿Qué experiencias pueden cambiar el carácter de una persona? Haz hipótesis y relaciona la información de las dos columnas.

| CAMBIOS EN SU CARÁCTER | EXPERIENCIAS QUE LOS MOTIVARON |
|---|---|
| a) Se volvió más tolerante. | ❏ Ir al instituto. |
| b) Se hizo una persona más constante. | ❏ Su primer fracaso sentimental. |
| c) Se volvió más madura. | ❏ Tener que estudiar y preparar los exámenes. |
| d) Se volvió una persona más extrovertida | ❏ Convivir con gente de otras culturas. |

**11.a.** Lee el nombre de estos programas de televisión. ¿Puedes asociarlos a algún tipo de programa concreto?

| GRAN HERMANO | EXPEDICIÓN ROBINSON | LA ISLA DE LOS FAMOSOS |

| OPERACIÓN TRIUNFO | 7 VIDAS AL DESCUBIERTO |

¿Qué tienen en común ese tipo de programas de televisión?

_____

_____

_____

_____

¿Qué pasa en ellos?

_____

_____

_____

_____

☺☺ **b.** Lee el siguiente texto sobre la historia de los programas de *reality show* y comenta con tus compañeros los siguientes temas.

❑ ¿En tu país, hay programas de este tipo? ¿Qué acogida tienen?

❑ ¿A qué crees que se debe el éxito de estos programas?

## LA HISTORIA DEL *REALITY SHOW*

**1992** La cadena MTV emite el programa *The Real World.* En él un grupo de jóvenes vive junto vigilado a todas horas por cámaras de televisión. Es el primer precedente del *reality show.*

**1999** En septiembre comienza el primer *reality show: Big Brother (Gran Hermano).* El programa, creación de un holandés, se emite las 24 horas del día. El éxito es total y el programa se repite al año siguiente. Además *Gran hermano* llega a la televisión de otros países.

**2000** Aparece el primer *reality* en Argentina, *Expedición Robinson,* en el que un grupo de jóvenes debe sobrevivir en una isla.

**2001** En Argentina se hace la primera edición nacional de *Gran hermano.* En Brasil se emite *Casa de los artistas,* en el que varios famosos deben vivir juntos en una casa. En España aparece uno de los *realities* más celebrados: *Operación triunfo,* que funciona como una academia para chicos que quieren destacar en el mundo de la música. El éxito es total.

**2002** En México, el canal Playboy comienza a transmitir un *reality* erótico: *Siete vidas al descubierto.* Desde entonces el fenómeno es imparable. La cadena NBC prepara un *reality* más original todavía: va a entrenar a doce voluntarios para salir al espacio, y el premio consiste en un viaje en una nave espacial hasta la Estación Espacial Internacional, que verán miles de telespectadores.

**C.** **Escribe tu opinión sobre este tipo de programas. Trata alguna de las siguientes cuestiones.**

❑ ¿Te aburren? ¿Te desagradan? ¿Los toleras? ¿Te parecen interesantes?

❑ ¿Crees que se debe poner algún límite ético a este tipo de programas?

❑ ¿Son realmente programas que reflejan la realidad de la convivencia y las relaciones sociales?

_____

_____

_____

_____

_____

_____

_____

_____

**DESARROLLO DE ESTRATEGIAS**

**12.a.** ¿Has podido HACER POSITIVOS TUS SENTIMIENTOS NEGATIVOS? Marca tu respuesta.

❑ En pocas o muy pocas ocasiones.      ❑ Muchas veces.

❑ En bastantes ocasiones.      ❑ Muchísimas veces.

**b.** ¿En qué situaciones te ha resultado especialmente útil esta estrategia? Escríbelo.

_____

_____

_____

**c.** Piensa en qué situaciones no pudiste HACER POSITIVOS TUS SENTIMIENTOS o no te resultó útil. ¿Crees que podías haber utilizado otra estrategia? ¿Cuál? Escríbelo.

_____

_____

_____

☺☺ **d.** Comenta con tus compañeros las respuestas anteriores.

**1. a.** Imagínate que enciendes la radio para escuchar las noticias en español. ¿Haces algo para ayudarte a comprenderlas mejor?

❑ Me tranquilizo; intento no ponerme nervioso.
❑ Me doy ánimos.
❑ Tomo notas para, después, intentar reconstruir lo que no he entendido.

❑ Busco las palabras que no entiendo en el diccionario.
❑ Le pido a alguien que me repita lo que no he entendido.
❑ Otra cosa: _____

**b.** Paul está a punto de escuchar las noticias. Observa la estrategia que utiliza antes de encender la radio. ¿Haces tú lo mismo?

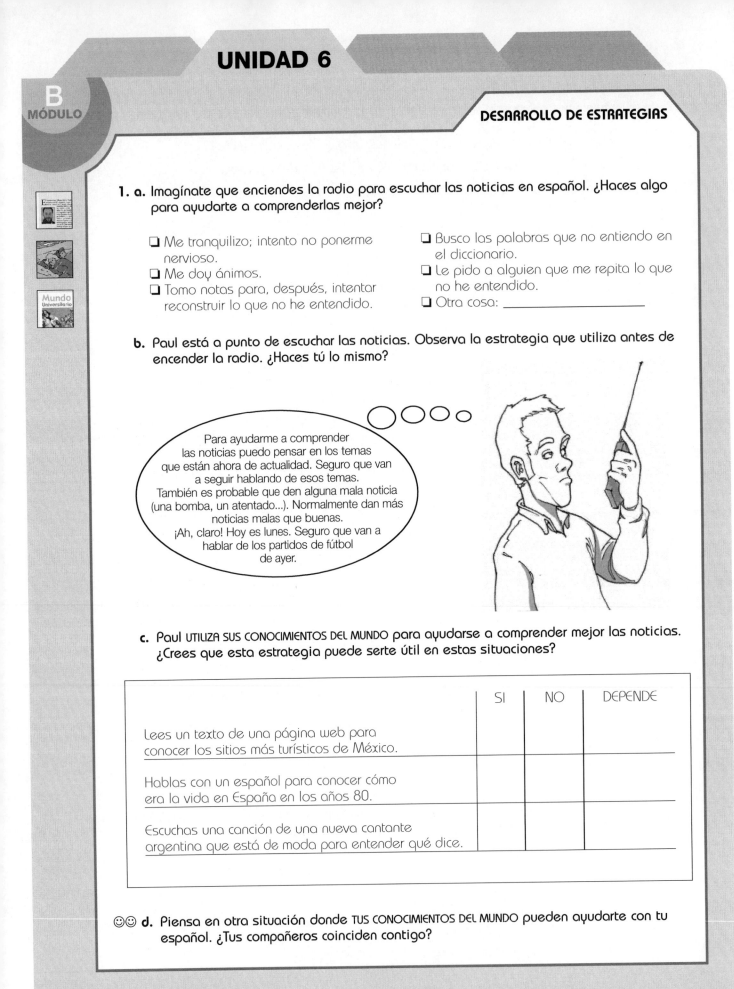

Para ayudarme a comprender las noticias puedo pensar en los temas que están ahora de actualidad. Seguro que van a seguir hablando de esos temas. También es probable que den alguna mala noticia (una bomba, un atentado...). Normalmente dan más noticias malas que buenas. ¡Ah, claro! Hoy es lunes. Seguro que van a hablar de los partidos de fútbol de ayer.

**c.** Paul UTILIZA SUS CONOCIMIENTOS DEL MUNDO para ayudarse a comprender mejor las noticias. ¿Crees que esta estrategia puede serte útil en estas situaciones?

|  | SI | NO | DEPENDE |
|---|---|---|---|
| Lees un texto de una página web para conocer los sitios más turísticos de México. | | | |
| Hablas con un español para conocer cómo era la vida en España en los años 80. | | | |
| Escuchas una canción de una nueva cantante argentina que está de moda para entender qué dice. | | | |

☺☺ **d.** Piensa en otra situación donde TUS CONOCIMIENTOS DEL MUNDO pueden ayudarte con tu español. ¿Tus compañeros coinciden contigo?

# UNIDAD 6

**2.a.** ¿Cuándo se dan, normalmente, las siguientes circunstancias y acontecimientos en la vida de una persona? Clasifícalos (algunos pueden ir en más de una categoría).

Infancia:
e, _____

Adolescencia:

Juventud:
_____

Madurez:
_____

Vejez:
_____

a) Separarse/ Divorciarse
b) Ir al colegio
c) Enamorarse la primera vez
d) Ir al instituto
e) Nacer ✔
f) Tener nietos
g) Empezar a trabajar
h) Ir a la universidad
i) Tener los primeros achaques y problemas serios de salud
j) Empezar a ir a las discotecas
k) Tener hijos
l) Hacer los primeros viajes sin los padres
m) Casarse
n) Viajar al extranjero con una beca
o) Jubilarse
p) Hacer los primeros amigos
q) Empezar a plantearse en serio qué se quiere hacer en la vida
r) Crecer
s) "Sentar la cabeza" y dedicarse fundamentalmente a los hijos y al trabajo
t) Tener tiempo para hacer todas las cosas que no se han podido hacer antes

**b.** Marisa y Miguel llegan a un pueblo donde escuchan la leyenda de Xurxo. Escucha con atención y ordena las siguientes circunstancias en la vida de Xurxo.

❏ hacerse un hombre joven y fuerte
❏ emigrar a buscar un futuro
❏ tener el pelo oscuro
❏ ser un niño
❏ ser un anciano con el pelo blanco
❏ tener arrugas

Antes de escuchar la leyenda, UTILIZA TUS CONOCIMIENTOS sobre leyendas e historias sobrenaturales para imaginar qué pudo ocurrir en la vida de Xurxo. Piensa en diferentes hipótesis.

**c.** Completa ahora este resumen de la vida de Xurxo.

En San Andrés de Teixido cuentan que la vida de Xurxo ha sido muy curiosa. Primero fue _____ que tenía el pelo _____ y _____ en todo el cuerpo. Luego rejuveneció: su pelo se volvió _____, sus arrugas _____ y se hizo _____. Entonces fue cuando decidió _____a otra tierra para _____ . Y por último, cuando _____, regresó a San Andrés de Teixido, a vivir sus últimos años.

¿Crees que TUS CONOCIMIENTOS de historias y leyendas te han ayudado a hacer las actividades 2b y 2c?

# UNIDAD 6

**3.** Y tú, ¿crees en las casualidades o en el destino? Elige uno de estos dos titulares e imagina la historia que está detrás. Escríbela y utiliza algunas de las siguientes expresiones.

| | | | |
|---|---|---|---|
| entonces | en cuanto | hace unas semanas / unos años | luego |
| enseguida | antes de | al cabo de una semana | hasta que |

> **ESTUVO A PUNTO DE MORIR AHOGADO EL DÍA DE SU CUMPLEAÑOS**

> **ESTUVO A PUNTO DE SER UNA PERSONA FAMOSA, PERO EL DESTINO TENÍA PARA ÉL OTRA SORPRESA**

_____
_____
_____
_____
_____
_____
_____
_____
_____
_____

**4.** Relaciona las siguientes onomatopeyas con su significado.

| ¡Guau, guau! | Tic-tac | ¡Achís! | ¡Paf! | ¡Chis! | Clic | ¡Ay ! |
|---|---|---|---|---|---|---|

> Lee cada una de las onomatopeyas en voz alta y presta atención a su sonido. Utiliza TUS CONOCIMIENTOS del mundo para relacionarlas con su significado. Después, comenta con tus compañeros si esta estrategia te ha ayudado a hacer esta actividad.

a) Estornudo: ¡Achís!

b) Sonido para imponer silencio, suele ir acompañado de algún gesto como el de poner el dedo índice en los labios.

c) Sonido que se produce al apretar un botón del ratón del ordenador, pulsar un interruptor, etc.

d) Ruido que hace una persona o una cosa al caer o chocar contra algún objeto.

e) Sonido típico de un reloj.

f) Sonido que emite una persona para expresar que algo le causa tristeza o dolor.

g) Lo que hacen los perros.

**5. Los animales también tienen historias que contar. Lee esta historia que le ocurrió a un perro y pon los verbos del texto en la forma adecuada. Después, completa los espacios con una de estas palabras.**

| entonces   en aquel momento   al final   cuando   lo primero   mientras   entonces |

La semana pasada estaba un poco triste porque _____(perder) mi trabajo. Me fui a un parque y _____ me comía un bocadillo, me puse a leer el periódico y _____ fue cuando vi el anuncio de trabajo. _____ (ser) lo que yo buscaba. _____ (ir) a la oficina y _____ (llamar) a la puerta.

Les expliqué que _____ (ir) por lo del anuncio. Les dije que el anuncio _____ (responder) a mi perfil. Y _____ me llevaron hasta el despacho del director de personal. _____ (llamar) a la puerta y me _____ (recibir).

No le _____ (gustar) mucho al principio. _____ que me dijo fue: "El aspirante debe saber escribir a máquina". Y fui y le _____ (demostrar) que _____ (saber) escribir a máquina. Y _____ estaba terminando de escribir a máquina, me _____ (decir): "El aspirante debe tener conocimientos de informática". Y también entonces yo _____ (ir) y le _____ (demostrar) que _____ (tener) conocimientos de informática. Y _____ me _____ (decir): "El aspirante debe saber hablar idiomas". Y también le _____ (demostrar) que _____ (saber) hablar idiomas. Y bueno al final... no me dieron el trabajo y me echaron de la oficina. ¡No entiendo cómo dicen que hay igualdad de oportunidades! ¡Qué vida más perra!

**6.a. Anoche el ayudante del doctor Carlos Lagunas encontró a su jefe muerto en su cama. Ahora su ayudante recuerda algunas cosas que habían ocurrido antes de la muerte de su jefe. Conjuga los verbos y completa los textos.**

a) El mes anterior a su muerte *había tenido* (tener) un infarto.

b) _____ (tener) problemas con su mujer últimante. Su mujer se _____(ido) de casa la noche anterior.

c) En los últimos meses, unos ladrones _____ (entrar) tres veces en su casa para robarle.

d) La semana anterior _____ (ir) varias veces con su perro al veterinario porque el perro estaba muy agresivo.

e) Dos días antes su vecino _____ (enfadarse) con él porque tenían ideas políticas totalmente opuestas.

f) El doctor le _____ (contar) en varias ocasiones que, en sueños, solía recibir la visita de un viejo paciente que _____ (morir) en una operación.

**b.** ¿Y tú qué piensas sobre la muerte del doctor Lagunas? Ordena tus hipótesis según te parezcan más o menos seguras.

| Hipótesis menos seguras | A lo mejor… _____<br>Tal vez… _____<br>Quizás… _____ |
|---|---|
| Hipótesis más seguras | Me imagino que… _____<br>Seguro que… _____<br>Probablemente… _____ |

**c.** En el programa de TV *Misterios sin resolver* tienen novedades sobre la muerte del doctor Lagunas. Escucha y señala si las siguientes hipótesis sobre las causas de su muerte son correctas o no y por qué.

| Hipótesis | ¿Es correcta? | Porque… |
|---|---|---|
| a) De la muerte natural. | Sí  No | _____ |
| b) De la muerte relacionada con el abandono de su mujer. | Sí  No | _____ |
| c) Del robo. | Sí  No | _____ |
| d) De la muerte relacionada con la crisis agresiva de su perro. | Sí  No | _____ |
| e) De la muerte relacionada con el suceso paranormal. | Sí  No | _____ |

**7.** La última vez que hiciste estas actividades, ¿hacías otra cosa al mismo tiempo? Completa la tabla.

• ¿Estabas haciendo otra cosa la última vez que…

a) …Viste la televisión?

b) …Cogiste el metro o el autobús?

c) …Hablaste más de media hora por teléfono con alguien?

d) …Asististe a una conferencia?

e) …Navegaste por Internet?

| | ¿Cuándo? | ¿Hacías otra cosa? | ¿El qué? |
|---|---|---|---|
| a) | Ayer | Sí | *Estaba cenando/ Cenaba / Cené mientras veía la televisión.* |
| | | No | *No estaba haciendo nada mientras veía la televisión.* |
| b) | | Sí | |
| | | No | |
| c) | | Sí | |
| | | No | |
| d) | | Sí | |
| | | No | |
| e) | | Sí | |
| | | No | |

• ¿Cuántas respuestas afirmativas has señalado en la tabla? Cuéntalas. _____

**8.a.** Si en la actividad 7 tuviste más de tres respuestas afirmativas, puedes tener una enfermedad que se describe en el siguiente artículo. Léelo y elige el título más adecuado para él.

| **A.** Desconectarse del móvil y de Internet puede provocar adicción | **B.** Internet y los móviles: el lado oscuro de la vida moderna | **C.** El "desorden compulsivo on-line", una enfermedad que genera el abuso de las nuevas tecnologías |
|---|---|---|

Es evidente que los seres humanos tenemos inclinación por realizar varias actividades al mismo tiempo. Así no es extraño ver a alguien hablar por el móvil mientras conduce, comer mientras ve la televisión, o leer mientras está en el cuarto de baño… Pero la presencia de las comunicaciones instantáneas en nuestras vidas ha hecho que esa tendencia a la "multitarea" pueda convertirse en una enfermedad.

Charles Lax, un ejecutivo estadounidense de 44 años, está sentado en una sala de conferencias. Mientras escucha la presentación, simultáneamente, navega por Internet en su ordenador inalámbrico y de vez en cuando mira si ha recibido mensajes de correo electrónico en su teléfono móvil. Pero el caso es que Lax viajó en avión desde Boston y pagó 2000 dólares de inscripción a la conferencia. Sin embargo, no puede desconectarse el tiempo suficiente para prestar atención. "Me resulta muy difícil concentrarme en una única tarea —. Me aburro si hago solo una cosa a la vez. Creo que estoy enfermo."

Pero esto no le pasa sólo a Lax. Algunas personas están permanentemente conectadas: hablan por el móvil o reciben correos, mientras están en una reunión de amigos, o mientras están viendo un partido de fútbol de sus hijos. Y prefieren hacer esto a hablar con las personas con las que coinciden en esas situaciones. Algunos psicólogos ya le han puesto nombre a esta obsesión que parecen tener muchos: "desorden compulsivo on-line". Así denominan a la necesidad que tienen algunos de estar siempre conectados. Algunos investigadores van más allá y dicen que la "multitarea" produce adicción y que es una enfermedad que tiene efectos muy negativos: disminuye la atención, la concentración y la imaginación.

(Texto adaptado de http://axxon.com.ar/not/ 128/c-128InfoOCD.htm)

**b.** **Responde ahora a estas preguntas.**

a) ¿Qué se entiende en el texto por "multitarea"? _____
_____
_____

b) ¿Te consideras tú una persona con tendencia a la "multitarea"? ¿Por qué? _____
_____
_____

☺☺ **c.** **¿Has tenido una experiencia similar a la de Lax en la conferencia? Describe la situación y después cuéntasela a tus compañeros.**

_____
_____
_____
_____
_____
_____
_____
_____

**d.** **Piensa en un pie de foto para la imagen que acompaña al artículo y escríbelo. ¿Alguna fotografía tomada en tu vida diaria podría servir para ilustrar el texto? Descríbela.**

Pie de foto: _____
Una imagen de mi vida diaria para el artículo: Cuando _____
_____
_____
_____
_____

**9.a.** **Observa las siguientes series de palabras y subraya el intruso en cada una de ellas. Como ayuda, puedes leer la pista que se ofrece en cada caso.**

| cementerio<br>12 | espíritu<br>53 | señal<br>9 | espiritismo<br>13 |
|---|---|---|---|
| tumba<br>21 | alma<br>62 | ruidos<br>14 | tener miedo<br>24 |
| OVNI<br>32 | más allá<br>17 | tranquilidad<br>1 | asustarse<br>5 |
| cruz<br>4 | murciélago<br>8 | visión<br>12 | susto<br>6 |
| El intruso no tiene relación con los muertos. | El intruso no tiene relación con "la vida después de la muerte". | El intruso no es una palabra que provoca inquietud. | El intruso no está necesariamente relacionada con la idea de miedo. |

# UNIDAD 6

**b.** Comprueba el resultado de la actividad anterior. Localiza en este cuadro, los números de las palabras que no eran los intrusos y únelos con una línea. ¿Qué dibujo te sale?

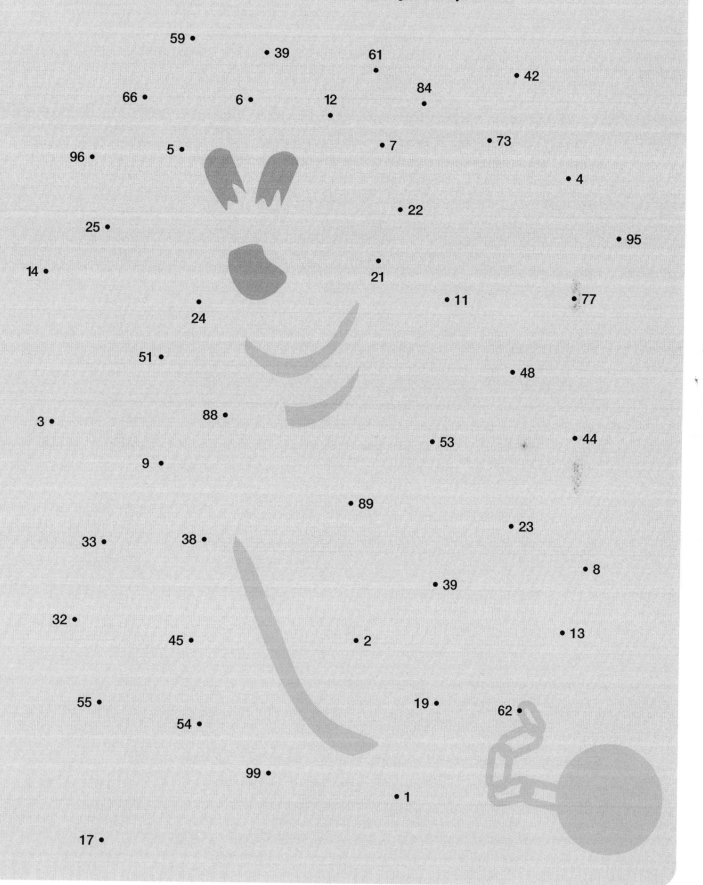

**c.** Observa de nuevo las siguientes palabras. Escucha la grabación y presta atención a los sonidos que aquí se han marcado en negrita.

| | | | | | |
|---|---|---|---|---|---|
| ceme**n**terio | tu**m**ba | O**V**NI | cru**z** | seña**l** | ruido**s** |
| e**s**píritu | a**l**ma | má**s** allá | mur**c**iélago | e**s**piritismo | tene**r** miedo |
| tranquilida**d** | visió**n** | asu**s**tarse | su**s**to | | |

**d.** Las palabras anteriores presentan todas las consonantes que pueden aparecer en español al final de sílaba. Busca más ejemplos para cada categoría y luego pronúncialas.

a) Palabras como *cementerio, tumba* o *visión* (con *n* o *m* al final de sílaba):

*canción* _____
_____

b) Palabras como *espíritu, espiritismo, asustarse, susto, más* o *ruidos* (con *s* al final de sílaba):
_____
_____

c) Palabras como *tener, asustarse* o *murciélago* (con *r* al final de sílaba): _____
_____
_____

d) Palabras como *señal* o *alma* (con *l* al final de sílaba): _____
_____
_____

e) Palabras como *incredulidad* (con *d* al final de sílaba): _____
_____

f) Palabras como *ovni* (con *b* o *v* al final de sílaba): _____
_____

g) Palabras como *cruz* (con *z* al final de sílaba): _____
_____

**e.** ¿Existen estos mismos sonidos en tu lengua al final de sílaba? Pon algún ejemplo.

_____
_____
_____

☺☺ **10.** **Existen muchos personajes fantásticos como hadas, magos, gnomos, monstruos, etc. En tu cultura, ¿de qué personajes fantásticos o sobrenaturales se habla? ¿Cómo son? ¿Qué hacen? ¿Has visto alguna vez uno? Escribe cómo es o cuéntaselo a tus compañeros.**

DESARROLLO DE ESTRATEGIAS

**11.a.** ¿Te ha ayudado la estrategia de UTILIZAR TUS CONOCIMIENTOS DEL MUNDO con las actividades de esta unidad? Márcalo.

☐ Me ha ayudado mucho.
☐ Me ha ayudado bastante.
☐ No me ha ayudado.

**b.** ¿En qué situaciones no te ha resultado muy útil esta estrategia? ¿Por qué crees que no te sirvió? Escríbelo.

**c.** ¿Qué otras estrategias podías haber utilizado en las situaciones anteriores? Escríbelo.

☺☺ **d.** Comenta tus respuestas con tus compañeros. ¿Coincides con alguno de ellos?

**1. a.** ¿Recuerdas algún momento en el que tuviste que utilizar una palabra que no conocías...?

❏ ...Para hablar en clase.
❏ ...Para comprar algo en una tienda.
❏ ...Para hablar con tus amigos.
❏ ...Para preguntar algo en la calle.

❏ ...Para comunicarte en un chat..
❏ ...Para escribir un mensaje.
❏ ...Etc.

¿Qué hiciste en esos momentos? ¿Utilizaste alguna estrategia o decidiste no comunicarte? Escríbelo.

| Una vez quería expresar.... | ¿Qué hice?..... |
|---|---|
|  |  |

**b.** Paul está escribiéndole un mensaje a su compañero de piso. Observa la estrategia que utiliza para comunicarse con él. ¿Coincide con alguna de las que has marcado?

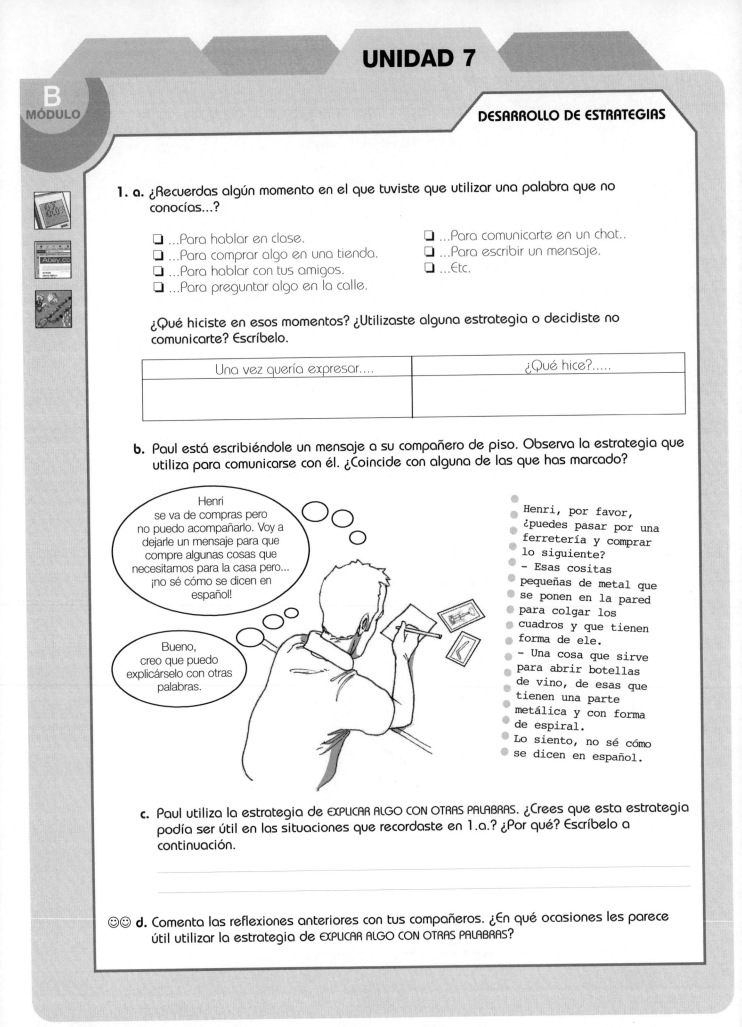

Henri
se va de compras pero no puedo acompañarlo. Voy a dejarle un mensaje para que compre algunas cosas que necesitamos para la casa pero... ¡no sé cómo se dicen en español!

Bueno,
creo que puedo explicárselo con otras palabras.

Henri, por favor, ¿puedes pasar por una ferretería y comprar lo siguiente?
- Esas cositas pequeñas de metal que se ponen en la pared para colgar los cuadros y que tienen forma de ele.
- Una cosa que sirve para abrir botellas de vino, de esas que tienen una parte metálica y con forma de espiral.
Lo siento, no sé cómo se dicen en español.

**c.** Paul utiliza la estrategia de EXPLICAR ALGO CON OTRAS PALABRAS. ¿Crees que esta estrategia podía ser útil en las situaciones que recordaste en 1.a.? ¿Por qué? Escríbelo a continuación.

_____

☺☺ **d.** Comenta las reflexiones anteriores con tus compañeros. ¿En qué ocasiones les parece útil utilizar la estrategia de EXPLICAR ALGO CON OTRAS PALABRAS?

**2.** ¿Qué objetos presentes en tu vida diaria asocias a las siguientes formas? Escribe para cada uno de ellos la siguiente información.

❑ Nombre del objeto,
❑ Breve descripción del mismo (forma, color, material, etc.).
❑ Para qué lo usas o para qué sirve.

*La figura A tiene la misma forma que los cristales de mis gafas. Mis gafas son cuadradas, marrones y son de metal y de pasta. Las uso para ver.*

Si no sabes cómo se dice alguna palabra intenta EXPLICARLA DE OTRO MODO; cuando termines esta actividad, puedes buscarla en el diccionario. ¿Crees que el uso de esta estrategia puede ayudarte a mejorar tu expresión escrita? ¿Y el uso del diccionario? Coméntalo con tus compañeros.

A

B

C

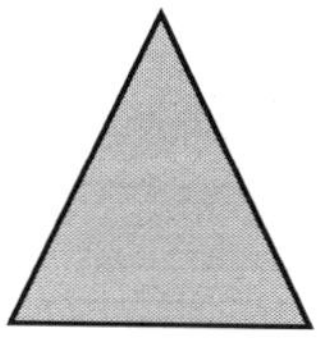

D

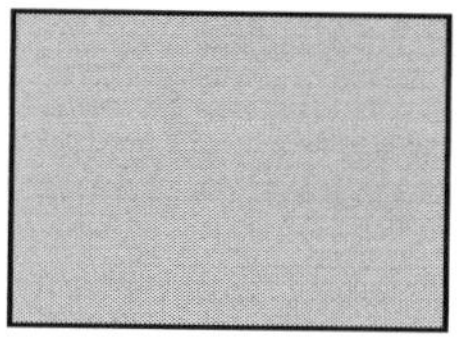

E

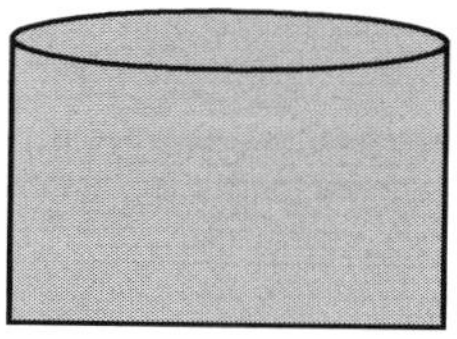

F

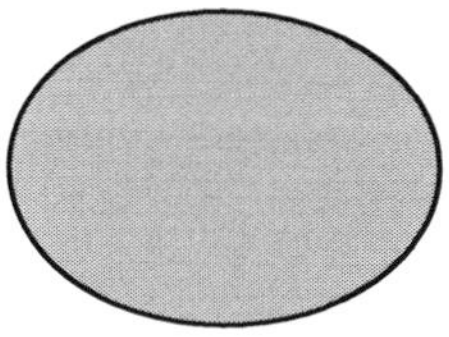

**3.a. Escucha la grabación y anota lo que crees que ve la persona entrevistada en las imágenes de la actividad 2.**

En las imágenes ve...

| | Imagen A | Imagen B | Imagen C | Imagen D | Imagen E | Imagen F |
|---|---|---|---|---|---|---|
| Julián | | | | | | |

**b.** **¿Qué problemas crees que tiene el entrevistado de la actividad 3.a.?**

El entrevistado, Julián... _____

_____

_____

_____

_____

_____

> Cuando hables con tus compañeros, intenta EXPLICAR DE OTRO MODO las palabras que no sepas en español. Después, comenta con ellos si esta estrategia puede ser útil para mejorar la fluidez en la expresión oral.

☺☺ **c.** **Comenta ahora las respuestas que tus compañeros dieron en la actividad 2. ¿Piensas que sus respuestas reflejan algún tipo de problema oculto?**

**4.a.** **¿Has pensado alguna vez si la decoración de tu casa puede estar influyendo en tu vida? Lee el siguiente texto y averígualo.**

## Lo que dice el Feng-Shui sobre la decoración de tu casa

**• El material de los suelos**

Un suelo de madera crea en la casa un ambiente de relajación y de armonía. Favorece la comunicación. Los suelos de piedra (loseta, mármol o similar) favorecen la actividad, la energía, el dinamismo. Seguro que una persona muy activa al llegar a su casa pisa una superficie de piedra. Sin embargo, una persona más tranquila, más equilibrada, tiene en su casa suelos de madera.

**• El color de las paredes**

Las paredes de colores fríos invitan a la calma, a la relajación. Las paredes de colores cálidos (amarillo, rojo, blanco, naranja, etc.) se relacionan con la alegría y la festividad. Para favorecer las relaciones personales, hay que pintar la casa en colores cálidos. Si se quiere tener una relación equilibrada, serena, tranquila con la pareja, mejor pintar las paredes en un color frío.

**• El material del sillón**

Sentarse en un sillón de algodón o de lino ayuda a la creatividad. Hacerlo en un sillón de piel o de lana favorece la fiesta, la alegría, la actividad.

**• La forma de la mesa donde comes**

Una mesa redonda crea una atmósfera dinámica, de buenas relaciones familiares. Una mesa ovalada también ayuda a alejar las tensiones. Las mesas cuadradas y rectangulares sugieren un ambiente solemne, donde las ceremonias y la vida social tienen mucha importancia.

**• El color del mantel donde comes**

Comer en un mantel de color crema ayuda a relajarse y favorece la tranquilidad de la mente. Un mantel blanco, por el contrario, resulta estimulante; ayuda a abrir el apetito. Comer en un mantel verde te llena de vitalidad, es estupendo para cuando tienes que trabajar por la tarde. El negro da seguridad: es bueno para cuando has discutido con tu jefe o con tu pareja y necesitas reafirmar tus ideas. El rojo o el granate atraen el romance. El gris, sin embargo aporta formalidad.

**• El estilo de muebles que prefieres**

Los muebles de formas rectas o puntiagudas favorecen la hostilidad. Por eso, si quieres mantener en tu casa la armonía, inclínate por muebles de curvas suaves y motivos redondeados.

**• El material que prefieres para los elementos de decoración**

La madera se recomienda para los espacios donde se necesita creatividad, actividad. Abusar de ella puede provocar exceso de ambición o hiperactividad. Las velas y lámparas se recomiendan en habitaciones donde queremos favorecer la espontaneidad, las relaciones sociales, la expresividad. Abusar de objetos de iluminación puede generar demasiado estrés, discusiones, peleas, etc. Los objetos de barro son los más adecuados para espacios en los que se necesita estabilidad, seguridad. Abusar de estos objetos puede provocar falta de dinamismo o incluso puede arruinar un proyecto. El metal se recomienda para lugares donde es necesaria la disciplina y la tenacidad, y energía para terminar proyectos. Abusar de este elemento puede generar inexpresividad, frialdad, falta de comunicación.

**b.** Algunos detalles de la decoración de tu casa pueden ser más importantes de lo que parece. ¿Cómo es tu casa? Contesta a las siguientes preguntas.

### ¿Cómo es tu casa?

**1. ¿De qué material es el suelo de tu casa?**

- ❏ de madera
- ❏ de loseta / de mármol / de piedra

**2. ¿Cómo son las paredes de tu casa?**

- ❏ de tonos cálidos y brillantes: amarillas, rojas, naranjas, blancas, beis.
- ❏ De colores oscuros, fríos: azules, verdes, grises, de tono pastel, negras.

**3. ¿De qué material es el sillón donde te sientas a descansar?**

- ❏ de piel o de lana.
- ❏ de algodón o de lino.

**4. ¿Qué forma tiene la mesa donde comes habitualmente?**

- ❏ redonda
- ❏ ovalada
- ❏ cuadrada o rectangular
- ❏ de madera
- ❏ de metal
- ❏ de cristal

**5. ¿De qué color es el mantel en el que comes habitualmente?**

- ❏ crema
- ❏ blanco
- ❏ verde
- ❏ azul
- ❏ negro
- ❏ rojo

**6. ¿Qué diseño de muebles predomina en tu casa?**

- ❏ muebles y estilos de líneas rectas, de formas cuadradas, triangulares o puntiagudas.
- ❏ muebles de curvas suaves, de formas redondas.

**7. ¿Qué objetos de decoración predominan en tu casa?**

- ❏ objetos de cristal (jarrones, vajillas, etc.)
- ❏ objetos de madera (figuras de madera, cuadros, etc.)
- ❏ objetos de iluminación (velas, lámparas, luces, aparatos eléctricos, etc.)
- ❏ objetos de barro, de porcelana.
- ❏ objetos de metal.

☺☺ **c.** ¿Qué opinas de las teorías de Feng Shui sobre decoración? ¿Crees que existe alguna relación entre la decoración de tu casa y lo que pasa en ella? Escribe sobre ello y luego habla con tus compañeros.

*El sillón de mi casa es de piel. Coincide con la teoría porque en mi casa hacemos muchas fiestas y es en el salón donde recibo a mis amigos. Sin embargo, los muebles de mi casa son de formas rectas y en mi casa no discuto con nadie.*

Cuando escribas, intenta EXPLICAR DE OTRO MODO las palabras que no conoces. Cuando termines la actividad, puedes buscarlas en el diccionario.
¿Crees que esta estrategia puede ayudarte a ganar rapidez en tu expresión escrita? Coméntalo con tus compañeros.

**5.a.** **Según el Feng Shui, ¿para qué sirven los siguientes objetos? Utiliza la información del texto anterior y estas expresiones.**

❏ se utiliza(n) / usa(n) para
❏ puede(n) servir para

❏ sirve(n) para
❏ se puede(n) utilizar / emplear para

a) Los sillones de piel *pueden servir para crear un clima de fiesta y un ambiente de fiesta en la casa.* Los sillones de tela (de lino o algodón) sirven para_____

b) Los muebles de formas rectas y puntiagudas favorecen la hostilidad. Sin embargo, los muebles de formas redondeadas _____

c) Los objetos de madera _____

d) Las velas, las lámparas, los objetos de iluminación _____

e) Los objetos de barro _____

f) Los objetos de metal _____

**b.** **Según las recomendaciones del Feng Shui del texto anterior, ¿qué podrías decirle a un amigo que tiene los siguientes problemas? Sigue el modelo del ejemplo.**

a) Se ha enamorado de una compañera de trabajo, pero no sabe cómo conquistarla.
   *Para conquistarla podrías invitarla a comer en tu casa y poner en la mesa un mantel rojo.*

b) Las fiestas que organiza con sus amigos en el salón de su casa son muy aburridas.
   *Para pasártelo mejor en las fiestas de tu casa* _____
   _____

c) Cuando sus padres comen con él, no saben de qué hablar y a veces discuten. _____
   _____

d) Nunca consigue terminar los informes del trabajo que se lleva a casa. El ambiente del despacho donde trabaja en su casa no le ayuda a concentrarse. _____
   _____

e) Desde que vive en su nueva casa, está obsesionado con el trabajo y con la idea de ascender. _
   _____

f) Últimamente entre él y su compañero de piso hay un ambiente muy hostil. _____
   _____

**6.a.** **Escucha la grabación y completa la siguiente tabla con los productos que la empresa Todohogar quiere liquidar.**

| PRODUCTOS QUE QUIEREN LIQUIDAR | | | |
| --- | --- | --- | --- |
| Tipo de producto | Descripción del producto (marca, modelo) | Información sobre el precio o la oferta | Dirección de contacto |
| a) _____ | Serie V | _____ | _____ |
| b) _____ | Visionum modelo 45j | _____ | _____ |
| c) _____ | Historia de la música, editorial Signo XXI | _____ | _____ |

**b.** Redacta ahora los anuncios que la empresa Todohogar va a difundir en Internet y en la prensa para dar publicidad a los productos señalados en 6.a.

¿Crees que la estrategia de EXPLICAR ALGO CON OTRAS PALABRAS podría ser útil para hacer la actividad que se plantea en 6.b.? ¿Por qué? Coméntalo con tus compañeros.

**7.** Pon anuncios de inventos aún no inventados en el tablón de 6.b.

*Busco un aparato que haga automáticamente los deberes de español.*

a) (deberes de español)

_____

b) (aprender lenguas extranjeras)

_____

c) (desplazamientos a distintos lugares)

_____

d) (trabajar)

_____

e) (tareas domésticas)

_____

f) (dinero)

_____

**8.** Clasifica en el gráfico estos adjetivos y expresiones que pueden servir para anunciar productos. Ten en cuenta que algunos pueden ir en varias categorías.

**PRODUCTOS DE BELLEZA**

**PRODUCTOS DE ALIMENTACIÓN**

**BEBIDAS**

afrodisíaco/a
seguro/a    estimulante    antiarrugas
práctico/a    dietético/a    reductor/a    climatizado/a
natural    dinámico/a    ligero/a    vigorizante    digestivo/a
adelgazante    cómodo/a    energético    elegante    rápido/a
hidratante    equilibrado/a    nutritivo/a    instantáneo/a
interactivo/a    fácil de manejar

**COCHES**

**TELÉFONOS MÓVILES**

**9.a.** Escucha los eslóganes de estos dos anuncios. ¿Qué crees que anuncian?

"Usa tus alas"

"Solares: sólo sabe a agua"

• Pronuncia en voz alta esos dos eslóganes. ¿Qué sonido se repite en ellos?

**b.** La repetición del sonido *s* puede ayudar a transmitir ideas relacionadas con los productos que se anuncian. ¿Qué efecto produce la *s* en los anuncios anteriores?

a) Anuncio de *Iberia*, compañía aérea: _____

b) Anuncio de *Solares*, marca de agua mineral: _____

**c.** Practica la pronunciación de la s leyendo en voz alta la siguiente información.

"Es tan suave el sonido de la s. Tan silencioso, tan sigiloso, que invita a susurrar."

**10.a.** **Fíjate en estos anuncios. ¿En qué basan su publicidad?**

> • seguridad de la garantía  • innovación a buen precio  • pureza y salud
> • resultados obtenidos en su uso  • gran tamaño

**b.** ¿En qué otras cualidades de los productos anteriores podría basarse su publicidad? Piensa en otra cualidad para cada uno de ellos y elabora un nuevo eslogan.

*Nueva cualidad para la publicidad de la hamburguesa: dietética. Eslogan: "Diet Burguer: un nuevo concepto de comida rápida. Para tu salud y tu figura.*

| PRODUCTO | CUALIDAD DEL PRODUCTO PARA EL NUEVO ANUNCIO | ESLOGAN DEL ANUNCIO |
|---|---|---|
| a) hamburguesa | | |
| b) coche | | |
| c) zumo de naranja | | |
| d) jabón | | |
| d) teléfono móvil | | |

**11.a.** Los anuncios de 10.a son ejemplos de publicidad engañosa. ¿Sabes por qué lo son? Vuelve a leerlos con atención y anota tus conclusiones.

a _____

b _____

c _____

d _____

e _____

**b.** Lee el siguiente texto y relaciona los anuncios de 10.a. con uno de los siguientes consejos.

> Utiliza la estrategia de EXPLICAR ALGO CON OTRAS PALABRAS para hacer esta actividad, si lo consideras conveniente

## CÓMO DETECTAR PUBLICIDAD ENGAÑOSA

Para detectar publicidad engañosa recuerde que al leer, escuchar o mirar los anuncios, es importante:

a) **Evaluar la primera reacción que le ha provocado el anuncio.** Piense en cómo ha logrado atraer su atención. ¿Realmente usted necesita un producto de esas características?

b) **Preguntarse si puede ser un anuncio engañoso.** ¿Contiene afirmaciones que no son razonables acerca del producto? ¿La imagen del producto que se ofrece en el anuncio es real? Formúlese siempre esas preguntas.

c) **Leer siempre la letra pequeña de los anuncios.** Si es un anuncio de radio, escúchelo atentamente. Ahí es donde puede estar el truco del anuncio: garantías limitadas, ofertas sujetas a condiciones, etcétera.

d) **Sospechar de curas y tratamientos milagrosos.** No se crea que existen tratamientos médicos o estéticos que funcionan de la noche a la mañana.

e) **Desconfiar del testimonio de famosos que hablan de las cualidades del producto.** No sea ingenuo, les han pagado por hablar bien del producto y por decir que lo han usado.

f) **Mirar la composición de los productos.** Estése alerta ante productos que se anuncian como "naturales", "ligeros", "sin nada de grasa", "puros". Lea la composición de estos productos para averiguar si efectivamente son 100% naturales o si tienen 0% de contenido graso.

g) **Sospechar de precios increíblemente baratos.** No pierda el tiempo en ir a una tienda a comprar algo cuyo precio es increíblemente barato. Llame por teléfono. Asegúrese de que puede comprarlo y de que hay existencias. Suelen ser engaños, en la tienda le dicen a uno que el producto se ha agotado y le venden otro más caro.

**12.** ¿Qué cambios tendrías que hacer en el texto anterior para dirigir algunos de esos consejos a los más jóvenes? Sigue el modelo del ejemplo.

a) "Piense en cómo ha logrado atraer su atención."
*Piensa en cómo ha logrado atraer tu atención*

b) "Formúlese usted siempre esa pregunta."
_____

c) "Si es un anuncio de radio, escúchelo atentamente."_____

d) "No se crea que existen tratamientos médicos o estéticos que funcionan de la noche a la mañana." _____

e) "No sea ingenuo."_____

f) "Estése alerta ante productos que se anuncian como "naturales", "ligeros."_____

g) "Lea atentamente la composición de estos productos."_____

h) "No pierda el tiempo en ir a una tienda… Llame por teléfono. Asegúrese de que puede comprarlo y de que hay existencias."
_____

☺☺**13.** ¿Conoces algún anuncio donde se hace publicidad engañosa? En tu país, ¿los consumidores pueden defenderse de este tipo de publicidad? Escribe sobre ello y luego háblalo con tus compañeros.

_____
_____
_____
_____

## DESARROLLO DE ESTRATEGIAS

☺☺**14.a.** ¿En qué casos te ha resultado útil la estrategia de EXPLICAR ALGO CON OTRAS PALABRAS? ¿En qué casos no te ha ayudado demasiado? Escríbelo.

| ME HA AYUDADO EN ESTOS CASOS | NO ME HA AYUDADO MUCHO EN ESTOS CASOS |
|---|---|
| _____ | _____ |
| _____ | _____ |

**b.** ¿Qué otras estrategias podías haber utilizado en los casos donde no te ha ayudado? Escríbelo.

_____
_____
_____

**1. a.** En clase estás escuchando una grabación, pero solo entiendes el 50% de lo que escuchas. ¿Utilizas alguna de estas estrategias?

❏ Le pido al profesor que ponga otra vez la grabación.

❏ Coopero con mis compañeros para reconstruir la grabación entre todos.

❏ No me pongo nervioso y pienso que he entendido bastantes cosas.

**b.** Paul acaba de escuchar una grabación en clase. Observa lo que hace para ayudarse a comprender. ¿Tú haces lo mismo?

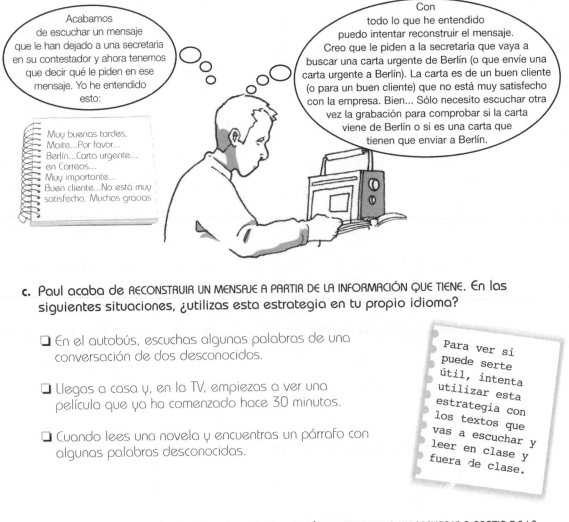

Acabamos de escuchar un mensaje que le han dejado a una secretaria en su contestador y ahora tenemos que decir qué le piden en ese mensaje. Yo he entendido esto:

Muy buenas tardes, Maite...Por favor... Berlín...Carta urgente... en Correos... Muy importante... Buen cliente...No está muy satisfecho. Muchas gracias

Con todo lo que he entendido puedo intentar reconstruir el mensaje. Creo que le piden a la secretaria que vaya a buscar una carta urgente de Berlín (o que envíe una carta urgente a Berlín). La carta es de un buen cliente (o para un buen cliente) que no está muy satisfecho con la empresa. Bien... Sólo necesito escuchar otra vez la grabación para comprobar si la carta viene de Berlín o si es una carta que tienen que enviar a Berlín.

**c.** Paul acaba de RECONSTRUIR UN MENSAJE A PARTIR DE LA INFORMACIÓN QUE TIENE. En las siguientes situaciones, ¿utilizas esta estrategia en tu propio idioma?

❏ En el autobús, escuchas algunas palabras de una conversación de dos desconocidos.

❏ Llegas a casa y, en la TV, empiezas a ver una película que ya ha comenzado hace 30 minutos.

❏ Cuando lees una novela y encuentras un párrafo con algunas palabras desconocidas.

Para ver si puede serte útil, intenta utilizar esta estrategia con los textos que vas a escuchar y leer en clase y fuera de clase.

☺☺ **d.** ¿Tus compañeros suelen utilizar la estrategia de RECONSTRUIR UN MENSAJE A PARTIR DE LA INFORMACIÓN QUE TIENEN? ¿En qué situaciones lo hacen?

**2.** Escribe el nombre de diferentes sistemas que se han utilizado en la historia de la Humanidad para transmitir mensajes. En clase, compara tu lista con tres compañeros y haced una lista en común. Gana el grupo que más sistemas haya escrito.

❏ *Palomas mensajeras, señales de humo, mensajes en una botella…*_____
_____
_____
_____
_____
_____

**3.** Ahora la comunicación es muy rápida, pero en 1492 no lo era tanto. Completa estas viñetas con los verbos ir y venir y descubre una anécdota relacionada con el viaje de Cristóbal Colón a América.

1486: Los Reyes Católicos tienen noticia del proyecto de Colón a través de una carta.

Un tal Colón dice que quiere ____ a Las Indias.

El 17 de abril de 1492 en las Capitulaciones de Santa Fe, la reina Isabel decide financiar el viaje de Colón.

Y con mi firma en este documento le doy a Colón el dinero para que pueda ____ a Las Indias por Occidente

La reina tarda 6 meses en enterarse del descubrimiento de Colón.

"¿Aun no ____ _____ el cartero real con noticias de Colón?

A la vuelta de su primer viaje, en 1493, los reyes reciben a Colón en Barcelona.

¿De dónde _____?

El caso es que me ____ a Las Indias, pero dicen que _____ de América.

**4.** Completa este gráfico con vocabulario relacionado con la comunicación y las nuevas tecnologías.

• urgente  • una videoconferencia  • en un chat  • el contestador automático conectado
• sin cobertura de algo  • con alguien  • una reclamación  • poca cobertura
• en un foro  • sin batería  • una llamada de teléfono  • por escrito  • por teléfono / chat
• por correo  • en una multiconferencia  • sin crédito  • el buzón de mensajes lleno

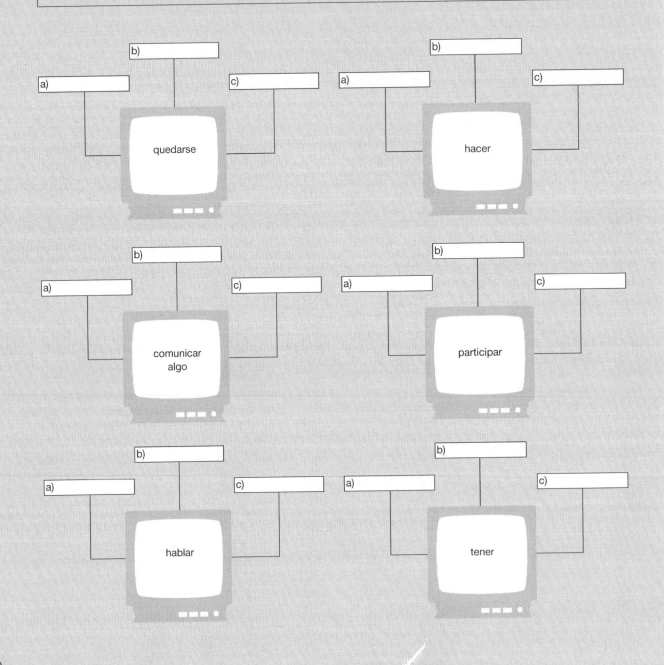

**5.a.** Presta atención y señala las palabras que escuchas en la siguiente tabla.

| ❑ voz (11) | ❑ sueco (45) | ❑ abrasar (68) | ❑ asar (78) | ❑ cien (5) | ❑ vos (61) |
| ❑ abrazar (18) | ❑ azar (54) | ❑ zeta (85) | ❑ seta (37) | ❑ sien (22) | ❑ zueco (12) |

**b.** ¿Busca los números que acompañan a las palabras que has señalado en 5.a. en la siguiente lista y descubre cuáles fueron los 6 servicios de Internet más utilizados en España en 2003.

❏ correo electrónico (45)

❏ servicios de turismo (68)

❏ chats, conversaciones o foros (18)

❏ banca electrónica y actividades financieras (78)

❏ búsqueda de información sobre servicios (85)

❏ descargar formularios oficiales (61)

❏ teléfono a través de Internet (22)

❏ obtener información de páginas web de la Administración (5)

❏ consulta a medios de comunicación (programación de TV, radio, periódicos, revistas) (11)

❏ compras de productos (12)

❏ servicios de ocio (juegos, música) (54)

**c.** Escucha y presta atención a las diferencias de pronunciación entre los sonidos s y z. Después, repite y practica.

☺☺ **d.** Localiza las palabras con s y con z de la unidad 8 del Libro del alumno y díctaselas a tu compañero. Comprueba luego si las ha escrito correctamente.

**6.a.** Escucha los siguientes sonidos y relaciónalos con el mensaje que trasmite cada uno de ellos.

| | | Orden, petición o consejo | Información |
|---|---|---|---|
| • Sonido a | • Abre la puerta, por favor. | | |
| • Sonido b | • El año nuevo acaba de empezar. | | |
| • Sonido c | • El barco sale del puerto. | | |
| • Sonido d | • Ha amanecido. | | |
| • Sonido e | • La comida ya está caliente. | | |
| • Sonido f | • Levántese. | | |
| • Sonido g | • Tenga cuidado. | | |
| • Sonido h | • Apártese, que llevo a un enfermo al hospital. | | |

**b.** Señala en la tabla si los mensajes anteriores son órdenes, peticiones, consejos o mensajes informativos. Después, completa las siguientes frases.

a) El pitido de un microondas me indica que la comida ya está caliente. _____

b) Con la sirena, el conductor de la ambulancia me dice _____

c) Con el claxon, otro conductor me dice _____

d) La bocina de un barco en un puerto indica _____

e) El sonido de mi despertador me dice que _____

f) El canto del gallo nos anuncia que _____

g) Con el timbre de la puerta, la persona que llama me pide que _____

h) Las doce campanadas del día 31 de diciembre a las doce señalan _____

**7.** A veces, la comunicación no funciona del todo bien en clase. ¿Cómo resuelves los siguientes "problemas de comunicación"?

a) Cuando tu profesor habla demasiado rápido y no le entiendes.

*Le pido que, por favor, hable más despacio.* _____

b) Si no sabes qué significa la palabra batería.

*Le pregunto al profesor o a mis compañeros de clase qué* _____

c) Cuando necesitas que el profesor repita la explicación porque no la has entendido del todo.

*Le digo que* _____

d) Si no sabes cómo se escribe en español una palabra.

*Le pregunto al profesor* _____ *y le pido que* _____ *en la pizarra.*

e) Si tu profesor os informa de que por la tarde vais a ir a visitar un museo, pero por el ruido no has entendido dónde habéis quedado ni a qué hora.

*Le pregunto a un compañero de clase* _____ *y* _____ *hora.*

f) Si estás hablando con otro compañero y no te enteras bien de la fecha del próximo examen.

*Le pregunto* _____.

g) Si has llegado tarde a un examen y no sabes a qué hora termina la prueba. _____

_____*tiempo dura el examen.*

**8.a.** Lee las siguientes peticiones y relaciónalas con una ilustración de la página siguiente.

**a)** ¿Podría decirme cuál es el número de ese autobús que viene?

**b)** ¿Le importaría sujetar a su perro? Es que no quiero problemas.

**c)** ¿Y si me cuentas un cuento?

**d)** ¿Puedes bajarme esos libros de Historia del último estante?

**e)** ¿Le importa ayudarme a mover esta maleta?

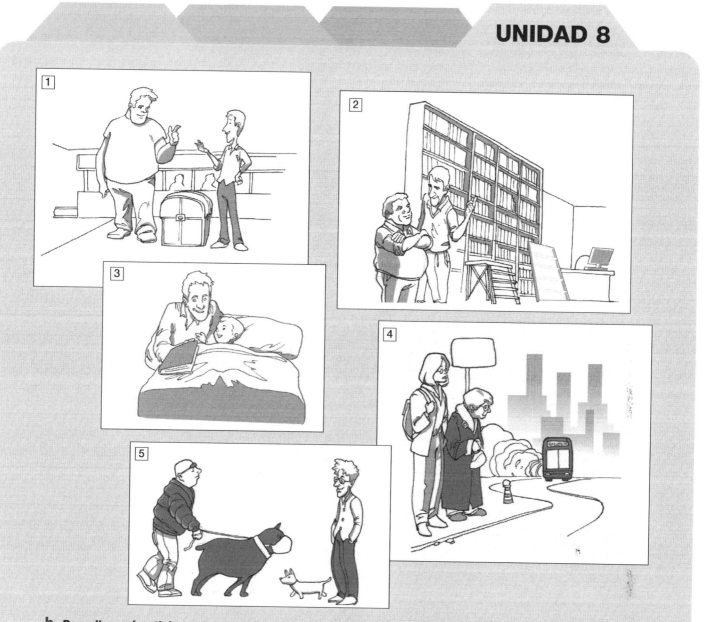

**b.** Describe qué peticiones hacen las personas de cada imagen siguiendo el modelo. Después, compara tus respuestas con un compañero.

1) *En un aeropuerto, un hombre delgado le pide a otro más fuerte que le ayude a mover una maleta*
2) _____
3) _____
4) _____
5) _____

**c.** Escucha y comprueba tus respuestas anteriores.

**d.** Vuelve a escuchar la grabación de 8.c. ¿Cómo justifican las personas anteriores sus peticiones?

1) *Es que tengo un problema de columna.*
2) _____
3) _____
4) _____
5) _____

Si en algún momento lo consideras oportuno, utiliza la estrategia de RECONSTRUIR MENSAJES para hacer la actividad 8.d.

## 9.a. Contesta al siguiente test.

### ¿QUÉ VA MÁS CONTIGO: PEDIR O DAR?

1. ¿Qué haces cuando tienes que pedir un favor?

   a) Te lo piensas mucho y al final no lo pides.
   b) Lo pides, pero te sientes incómodo.
   c) Lo pides. Piensas que no pasa nada por pedir favores.

2. ¿Cómo reaccionas cuando alguien te pide un favor para resolver un problema?

   a) Te interesas mucho por lo que le pasa a esa persona. Le haces el favor, por supuesto y luego te quedas pensando en qué más puedes hacer para ayudarla.
   b) Normalmente la escuchas, e intentas ayudar a esa persona.
   c) Piensas si esa persona va a valorar realmente el favor que te está pidiendo.

3. Sin querer, derramas tu café en la chaqueta de un cliente que vive fuera de la ciudad y que va a visitarte a tu oficina. ¿Qué haces?

   a) Te quitas tu chaqueta y se la ofreces, o insistes en que luego vas a casa y le traes una.
   b) Intentas hacer una broma para quitar importancia al asunto.
   c) Le pides a alguien de tu oficina que busque un limpiamanchas o que lleve la chaqueta del cliente a una tintorería rápida.

4. Tu pareja te llama diciendo que está en la puerta de vuestra casa, pero que no puede entrar porque ha perdido sus llaves. ¿Qué haces?

   a) Sales del trabajo, vas a tu casa, abres la puerta y le dejas tus llaves a tu pareja. Otro día tú harás unas nuevas para ti.
   b) Te enfadas y le pides explicaciones a tu pareja sobre cómo ha perdido las llaves.
   c) Llamas a tu padre. Él tiene llaves de vuestra casa. Le pides que vaya a abrir a tu pareja.

5. Un amigo te llama y te dice que al día siguiente ingresa en el hospital para operarse. No es demasiado grave. Tú al día siguiente sales de viaje.

   a) Le llamas por teléfono todos los días y a la vuelta de tu viaje, te instalas en su casa para cuidarle durante unos días. Piensas que estar en el hospital deprime un poco y que estará mejor con tu compañía.
   b) Le pides a un amigo común que te informe sobre la evolución de tu amigo.
   c) Te interesas mucho por él, y le pides que te llame después de la operación para decirte que todo ha salido bien.

### RESULTADOS

**Mayoría A:** Te gusta ayudar a los demás y sentirte imprescindible. Por ofrecer tu ayuda, a veces te olvidas de ti mismo y de tus problemas. Pregúntate si te gusta ayudar porque eres generoso, o porque necesitas sentirte querido y apreciado por los demás.

**Mayoría B:** Eres extrovertido y nada tímido. Estas son sin duda cualidades positivas que sabes aprovechar cuando necesitas ayuda de los demás. Tu problema es que te has acostumbrado a "hacer las cosas en compañía". Pedir tantas cosas te ha hecho poco independiente, algo comodón y un poco egoísta. Acuérdate de que los demás también existen.

**Mayoría C:** Enhorabuena, eres una persona generosa, a la que le gusta ayudar a los demás, pero que también se acuerda de sí misma.

> La estrategia de RECONSTRUIR MENSAJES también puede ser útil para comprender textos escritos. Si lo necesitas, utiliza esta estrategia para comprender los textos de la actividad 9. Después, comprueba tus hipótesis con ayuda de alguien o de un diccionario.

**b.** Cuenta tus respuestas, lee la interpretación y descubre cómo eres.

☺☺ **c.** Según este test, ¿cómo son tus compañeros? ¿Sus comportamientos en clase les caracterizan como "personas que piden" o como "personas que dan"?

**10.a.** Escucha y completa la tabla. ¿Qué le proponen o qué le piden a Alberto sus amigos y familiares? ¿Qué les contesta él?

| ¿Quién le llama? | ¿Qué le pide/propone? | ¿Qué contesta él? |
|---|---|---|
| a)_____ _____ | a)_____ _____ | a)_____ _____ |
| b)_____ _____ | b)_____ _____ | b)_____ _____ |
| c)_____ _____ | c)_____ _____ | c)_____ _____ |

Utiliza la estrategia de RECONSTRUIR MENSAJES para hacer la actividad 10.a.

**b.** Lee estos tres títulos de artículos. ¿Cuál de ellos crees que le interesaría leer a Alberto? ¿Por qué?

| Doctor, el problema es que no sé decir que no | Doctor, el problema es que no soy feliz | Doctor, el problema es que no sé lo que quiero |
|---|---|---|

**c.** El problema de Alberto es que no sabe decir que no. Completa estos consejos y luego decide cuáles son los más apropiados para Alberto.

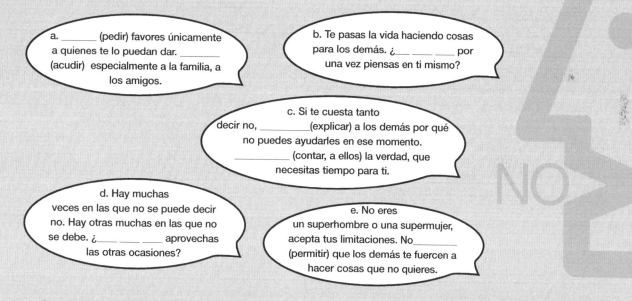

a. _____ (pedir) favores únicamente a quienes te lo puedan dar. _____ (acudir) especialmente a la familia, a los amigos.

b. Te pasas la vida haciendo cosas para los demás. ¿___ ___ ___ por una vez piensas en ti mismo?

c. Si te cuesta tanto decir no, _____(explicar) a los demás por qué no puedes ayudarles en ese momento. _____ (contar, a ellos) la verdad, que necesitas tiempo para ti.

d. Hay muchas veces en las que no se puede decir no. Hay otras muchas en las que no se debe. ¿___ ___ ___ aprovechas las otras ocasiones?

e. No eres un superhombre o una supermujer, acepta tus limitaciones. No_____ (permitir) que los demás te fuercen a hacer cosas que no quieres.

**d.** Ayuda a Alberto a decir que no. Escribe qué justificación podría darle a su madre y a su hermano para negarse a las peticiones de 10.a

*Es que no puedo; tengo un viaje de trabajo el próximo fin de semana.*

a) (A su madre) _____

_____

b) (A su hermano) _____

_____

**11.** Pepe y Pepa son la pareja perfecta. ¿Qué hace el uno por el otro para llevarse tan bien? Completa la tabla.

## PEPA

- Es muy independiente.
- Odia las tareas domésticas, especialmente planchar y limpiarse los zapatos.
- No le gustan las plantas, pero tiene muchas porque su madre se las regala. A ella se le olvida regarlas.

## PEPE

- Está enamorado, además de Pepa, de su perro Frido, al que cuida desde hace 10 años.
- Viaja mucho por temas de trabajo, pero no puede llevarse a Frido con él.
- Odia hacer maletas y encontrarse el coche sucio al regresar de sus viajes.

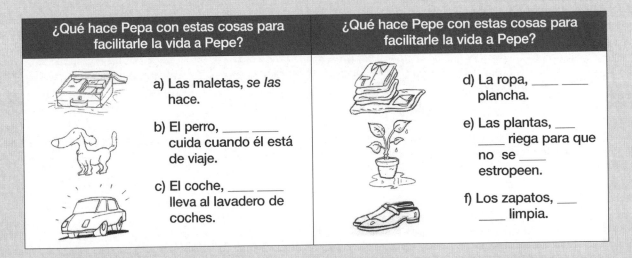

| ¿Qué hace Pepa con estas cosas para facilitarle la vida a Pepe? | ¿Qué hace Pepe con estas cosas para facilitarle la vida a Pepe? |
| --- | --- |
| a) Las maletas, *se las* hace. | d) La ropa, ____ ____ plancha. |
| b) El perro, ____ ____ cuida cuando él está de viaje. | e) Las plantas, ____ ____ riega para que no se ____ estropeen. |
| c) El coche, ____ ____ lleva al lavadero de coches. | f) Los zapatos, ____ ____ limpia. |

**12a.** Contesta a las siguientes preguntas sobre la participación de hombres y mujeres en las tareas domésticas.

a) ¿Crees que la casa ha dejado de ser una "tarea" exclusiva de mujeres? ¿Por qué?

_____

_____

b) ¿Piensas que la incorporación de la mujer al trabajo ha cambiado el reparto de las tareas domésticas entre hombres y mujeres? ¿En qué medida?

_____

_____

c) ¿Qué participación crees que tiene el hombre español en las tareas domésticas? ¿Mayor o menor que en otros países?

_____

_____

**b.** Lee este artículo y revisa tus respuestas de 12.a.

## Los hombres españoles participan más en las tareas de la casa que el resto de europeos

Los varones españoles participan más en la realización de las tareas domésticas en comparación con otros europeos, según el estudio "New Domesticy". Su autor, Francesco Morace, asegura que, aunque en países como Alemania o Inglaterra aparentemente los roles entre ambos sexos son más igualitarios que en España, se observa una menor participación en las tareas del hogar.

La investigación, realizada entre mujeres (25-47 años) casadas, trabajadoras y modernas de Italia, Francia, Inglaterra, Alemania, Polonia y España, revela que, a pesar de que las parejas están compartiendo algunas tareas de la casa, las mujeres europeas siguen siendo las principales responsables del funcionamiento de la vida doméstica.

Morace informó además de que España es el único país de los encuestados en el que la estancia favorita dentro de casa no es la cocina, sino el salón. Otra peculiaridad de los españoles, señaló el sociólogo, es que prefieren pasar su tiempo libre fuera de su domicilio.

**Tareas que dicen hacer solas las mujeres:**
❏ La limpieza de la casa (50%)
❏ Limpiar el baño (70%)
❏ Poner la lavadora (80%)

**Tareas que dicen realizar los hombre solos:**
❏ Trabajos de reparación y mantenimiento (71%)
❏ Tirar la basura (32,1%)
❏ Jardinería (20,7%)
❏ Administración del hogar (15,9%)

**Tareas que hacen juntos hombre y mujeres:**
❏ Preparar la casa para visitas de amigos
❏ Hacer la compra

(Texto adaptado de http://www.consumer.es/web/es/noticias/otros_temas/2002/03/14/39518.php)

☺☺ **C.** ¿Cómo es la situación, en tu país, respecto al reparto de las tareas domésticas entre hombres y mujeres? ¿Ha habido cambios en los últimos tiempos? ¿Cuáles? Coméntalo con tus compañeros.

### DESARROLLO DE ESTRATEGIAS

**13.a.** Toma nota de las actividades donde te ha resultado más útil la estrategia de RECONSTRUIR EL MENSAJE. En clase, coméntalo con tus compañeros. ¿Coincides con alguno?

**b.** En qué actividades no te resultó demasiado útil? Escríbelo.

☺☺ **c.** Comenta con tus compañeros qué estrategias podrían utilizarse para hacer las actividades anteriores. ¿Crees que alguna puede serte útil? Toma nota de ella.

**1. a.** ¿Qué estrategias sueles utilizar para recordar mejor las palabras y estructuras nuevas en español?

| | Nunca o casi nunca | Alguna vez | Con frecuencia |
|---|---|---|---|
| ❏ Utilizo dibujos para recordar mejor las palabras. | | | |
| ❏ Escribo las palabras en frases relacionadas conmigo, con mi vida, con mis experiencias... | | | |
| ❏ Asocio las estructuras nuevas a otras palabras que ya conozco. | | | |
| ❏ Las relaciono con otras palabras en otros idiomas | | | |
| ❏ Otras cosas | | | |

**b.** Observa a Paul intentando aprender vocabulario nuevo. ¿Alguna vez has hecho tú lo mismo? ¿Te ha ayudado o no?

❏ No, nunca lo he hecho.

❏ Sí, lo he hecho pero no me ha ayudado mucho.

❏ Lo he hecho muy pocas veces.

❏ Sí, ya lo he hecho y me ha ayudado

- Con la boca seca tengo jaqueca.
- ¡Mi vida! ¡En el corazón tengo una herida!
- Mis dos abuelas ya no tienen muelas.
- Mi cuerpo está sano y no le salen granos.

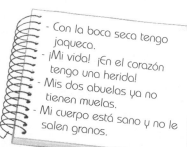

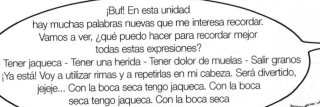

¡Buf! En esta unidad hay muchas palabras nuevas que me interesa recordar. Vamos a ver, ¿qué puedo hacer para recordar mejor todas estas expresiones?
- Tener jaqueca - Tener una herida - Tener dolor de muelas - Salir granos
¡Ya está! Voy a utilizar rimas y a repetirlas en mi cabeza. Será divertido, jejeje... Con la boca seca tengo jaqueca. Con la boca seca tengo jaqueca. Con la boca seca tengo jaqueca...

**c.** Paul utiliza la estrategia de UTILIZAR RIMAS Y REPETIRLAS para memorizar palabras nuevas. Selecciona cuatro palabras que son nuevas para ti y busca una rima para ellas.

1 _____

2 _____

3 _____

4 _____

☺☺ **d.** Repite en tu mente las rimas anteriores. ¿Crees que te puede ayudar a memorizar esas palabras? Coméntalo con tus compañeros.

**2.a.** Observa las siguientes imágenes. ¿Cuál es la parte del cuerpo por la que se han hecho famosos estos personajes?

a) La _____ de la Gioconda de Leonardo da Vinci

b) La _____ de Vangogh.

c) Los _____ del vampiro.

d) La_____ de Pinocho.

**b.** ¿Conoces a otros personajes famosos por las siguientes partes del cuerpo? ¿Cuáles?

| | | |
|---|---|---|
| El pelo | Las piernas | Los ojos |
| Los dedos | El cuello | El pecho |
| Las cejas | El talón | Los brazos |
| Los pies | La mano | La espalda |

Selecciona, entre estas palabras, las dos que te parezcan más difíciles y BUSCA UNA RIMA para ellas. Después repítelas en tu mente. ¿Crees que esas rimas te pueden ayudar a memorizarlas?

**c.** ¿Qué parte de la cara de una persona te suele llamar más la atención? ¿Por qué? Háblalo primero con un compañero y luego con el resto de la clase.

*Cuando conozco a alguien, normalmente me fijo en su/sus* _____ *porque*
_____

# UNIDAD 9

**3.a.** Piensa en películas de las distintas civilizaciones y momentos de la historia. ¿Qué tipo de pelo llevan las actrices protagonistas? Completa la tabla con las siguientes informaciones.

a) Pelo sencillo, peinado con una raya en medio y con trenzas.

b) Pelucas de color blanco y con rulos.

c) Todos los estilos posibles: pelo corto, pelo rizado, con rulos, ondulado, con crestas, etc.

d) Pelo al cero y con pelucas de pelo liso y flequillo.

e) Pelo ondulado, con mechones sobre la frente; pelo largo y peinado con recogidos.

## LOS PELOS DE LA HISTORIA

EGIPTO
Tipo de pelo:
_____
_____
_____

MUNDO GRECORROMANO
Tipo de pelo:
_____
_____
_____

EDAD MEDIA
Tipo de pelo:
_____
_____
_____

SIGLOS XVII-XVIII
Tipo de pelo:
_____
_____
_____

SIGLO XX
Tipo de pelo:
_____
_____
_____

**b.** Ahora dibuja en las caras de la tabla anterior, el peinado correspondiente a cada época.

**c.** ¿Has acertado? Escucha y comprueba. Anota además por qué se daba esa moda en cada una de las distintas épocas.

a) Egipto: _____

b) Mundo grecorromano: _____

c) Edad Media: _____
_____

d) Siglos XVII y XVIII: _____
_____

e) Siglo XX: _____
_____

☺☺ **4.** **El agua es esencial para el cuidado del cuerpo y de la vida. Haz una encuesta a tu compañero para saber si bebe cada día el agua que necesita su cuerpo para estar sano.**

*¿Cuántas piezas de frutas comes al día?*
*¿Cuántos cafés?*
*¿Cuántos refrescos?*
*etcétera.*

- El cuerpo gasta al día 2,5 l. de agua (1-1,5 l. en la orina, 200-230 ml en las heces y el resto en el sudor, la respiración, etc.). El cuerpo necesita reponer cada día el agua que pierde.

- El agua está presente en todas las bebidas, los caldos, las sopas, la fruta, los yogures, etcétera.

**5.a.** **Observa la imagen. ¿Qué punto de la oreja se corresponde con los siguientes síntomas de enfermedades?**

- estar resfriado
- ojos enrojecidos
- jaqueca
- mal aliento
- estornudar
- inflamación del pie
- dolores en las articulaciones (al escribir)

- dolor de espalda
- acné / granos
- molestias al orinar
- picor de garganta
- dolor de oídos
- no poder andar

- vómitos
- temblores
- visión borrosa
- problemas de audición
- diarrea
- tos
- sangrar

Intenta memorizar las expresiones nuevas más complicadas BUSCANDO UNA RIMA para ellas. Después repítelas en tu mente. ¿Te ayuda a memorizarlas?

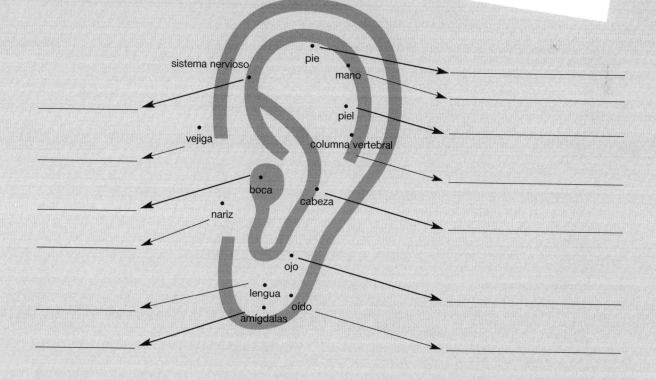

sistema nervioso
pie
mano
piel
vejiga
columna vertebral
boca
cabeza
nariz
ojo
lengua
oído
amígdalas

☺☺ **b.** **¿Conoces otras medicinas alternativas? ¿Alguna vez has recibido tratamiento con una de ellas? ¿Cómo te resultó? Escríbelo y luego habla sobre el tema con tus compañeros.**

**6.a.** Además de un tratamiento médico, ¿qué otras cosas pueden ayudar a dejar de fumar? Lee esta carta de consejos de un ex-fumador para dejar de fumar y complétala.

### CARTA A UN FUMADOR QUE QUIERE DEJAR DE SERLO

Yo que he sido fumador durante 30 años, te _____ (decir) que si realmente quieres dejar de fumar, tienes que intentarlo... Porque se puede conseguir; no es tan complicado. Esta carta es para ti que llevas pensando tiempo en dejar de fumar... Te voy a dar algunos consejos que a mí una vez me sirvieron.

Yo que tú, ahora mismo me _____ (poner) una fecha para empezar a dejar de fumar. Marca el día en tu calendario y no lo cambies en absoluto. También me _____ (hacer) un plan. Tienes varias opciones de cómo hacerlo: dejarlo completamente o dejarlo de manera progresiva (utilizando al principio chicles de nicotina, por ejemplo).

Creo que lo mejor es que _____ (tirar) a la basura o _____ (esconder) todos los ceniceros y mecheros que tengas a tu alcance. Te aconsejo que también _____ (lavar) tu ropa y _____(limpiar) tu coche para que no huela a tabaco. Cualquier cosa que te traiga recuerdos de fumar _____ (poder) provocarte el deseo de volverlo a hacer. Yo no _____ (esperar) ni cinco minutos a tirar todos los cigarrillos que tienes en tu casa. Yo que tú me _____ (deshacer) de ellos inmediatamente.

Intenta _____ (evitar), sobre todo al principio, la compañía de otras personas que fuman. También te recomiendo que _____(buscar) algo que

sustituya al cigarro cuando te _____ (entrar) ganas de fumar: por ejemplo, un vaso de agua, un chicle, una zanahoria. ¡Ah! y te recomiendo también _____ (salir) mucho a la calle. Eso es fundamental. Si te mantienes ocupado mientras estás dejando de fumar, no estarás pensando en fumar.

_____ (buscar) ayuda en otras personas. En lugar de ocultar lo que te pasa, ¿por qué no les _____ (decir) a tus amigos y familiares que estás dejando de fumar? Ellos podrán hablar contigo durante los momentos más difíciles. Pero tal vez sea mejor acudir a un profesional. Yo que tú lo _____ (hacer); hoy hay profesionales especializados cuya ayuda es fundamental.

¡Ah! Y lo más importante: Intenta no _____ (ser) muy duro contigo mismo. _____ (poder) perdonarte si tienes un momento de debilidad y fumas: no es el fin del mundo y no _____ (deber) ser el final de tu plan para dejar de fumar. _____ (perdonar, a ti) y empieza otra vez lo más pronto posible. Lo mejor es que _____ (premiar) tus éxitos. Ahorra el dinero de los cigarros y después de una, dos o tres semanas sin fumar, _____ (comprar, a ti) algo que te guste.

*Un ex-fumador convencido*

**b.** ¿Has dejado de fumar o conoces a alguien que lo ha hecho? ¿Qué consejos se pueden añadir a la carta anterior? Escribe al menos 5 consejos.

a) Yo que tú _____

_____

b) Te aconsejo que _____

_____

c) Yo en tu lugar _____

_____

d) _____

_____

e) _____

_____

**7.a.** Escucha y marca las palabras que se mencionan en la grabación.

| | | | | | |
|---|---|---|---|---|---|
| **PERO** | **PELO** | **MAR** | **MAL** | **RATA** | **LATA** |
| **CELO** | **CERO** | **OLA** | **HORA** | **PELA** | **PERA** |
| **SOR** | **SOL** | **PORO** | **POLO** | **CARA** | **CALA** |
| **RIMA** | **LIMA** | **PARO** | **PALO** | **ROMO** | **LOMO** |

☺☺ **b.** Lee algunas palabras de 7.a. para que tu compañero las localice y practica así la pronunciación.

**8.a.** ¿Qué nos pregunta el médico cuando vamos a verlo a la consulta? Señala la pregunta para cada respuesta.

a) _____
Sí, últimamente sí. Casi todas las tardes se me pone un dolor en la parte izquierda de la frente y a veces me duele tanto que tengo que meterme en la cama.

b) _____
Sí, la verdad es que me cuesta mucho dormirme y durante el día estoy bastante tenso, sobre todo en el trabajo.

c) _____
Sí, a veces tengo mucha acidez de estómago y hay ciertas comidas como las picantes que me sientan muy mal.

d) _____
Sí, y además, me siento fatal, me duele todo el cuerpo, y un poco la garganta.

e) _____
Sí, unos rojitos en la zona de la espalda y me pican bastante.

f) _____
Sí, bastante, sobre todo cuando muevo el pie para subir una escalera. Además tengo el tobillo muy hinchado.

### Preguntas del doctor

¿Ha tenido fiebre?
¿Le duele al caminar?
¿Le han salido granos en alguna parte del cuerpo?
¿Tiene dolores de cabeza frecuentemente?
¿Tiene problemas para dormir y se siente nervioso durante el día?
¿Tiene molestias de estómago?

**b.** ¿Qué enfermedades crees que tienen los pacientes de 8.a.?

a) j__ q __ __ __ __ a          c) g __ __ tr __ t __ s          e) a __ __ r __ i __
b) e__ __ __ __ __ __ s         d) __ r __ p __                  f) __ s g __ i __ __ e

**9.** ¿Cuáles de estos medicamentos serían apropiados para los siguientes síntomas y enfermedades? Relaciónalos.

a) Alergia
b) Dolor de cabeza o jaqueca
c) Esguince
d) Estrés
e) Gastritis y problemas de estómago
f) Gripe

> Utiliza la estrategia de BUSCAR UNA RIMA Y REPETIRLA para memorizar algunas de estas palabras.

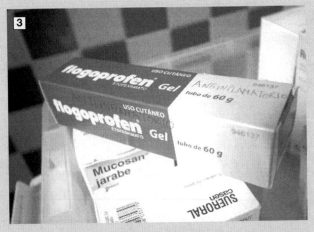

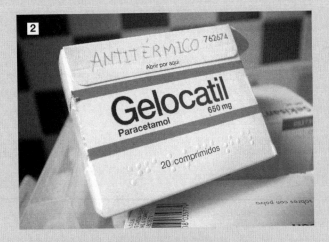

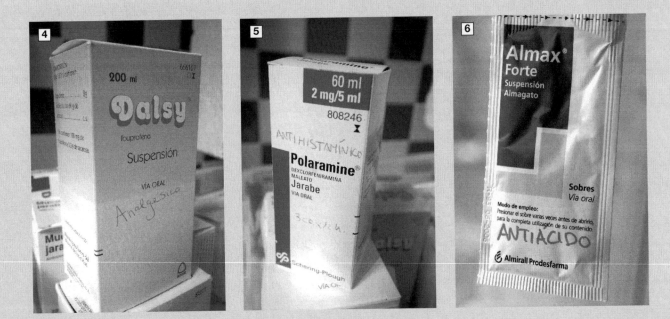

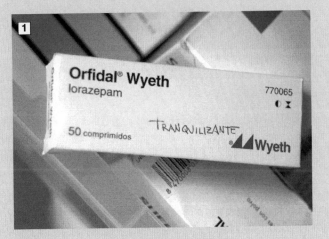

**10.a.** Relaciona las imágenes con una de las siguientes opciones.

- una inyección
- unas gotas
- un jarabe
- una pomada
- unas pastillas
- un supositorio

Si crees que puede ayudarte, piensa en UNA RIMA para alguna de estas palabras y repítela en tu mente.

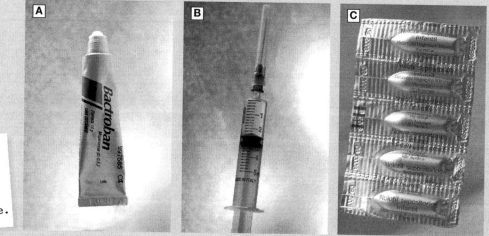

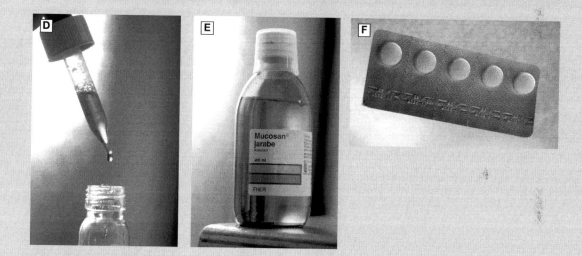

**b.** Cuándo eras pequeño, ¿cuál de estos modos de tomar medicamentos te gustaba menos? ¿Por qué? ¿Recuerdas alguna anécdota por no querer tomar alguno? ¿Qué te había pasado? Escribe sobre ello.

*Cuando era pequeño no me gustaba nada* _____ *porque* _____

_____. *Recuerdo que una vez* _____

_____

_____

_____

_____

_____

☺☺ **C.** Comenta esos recuerdos con tu compañero.

**11.a.** ¿Cuántos de estos productos llevas en tu maleta cuando viajas? ¿Para qué los llevas contigo?

A

B

C

D

E

*La llevo para cuidarme / hidratarme la cara.*

F

G

H

I

J

K

L

M

N

Ñ

☺☺ **b.** Habla con tu compañero para ver sus respuestas en 11.a. Después, organizad una puesta en común para ver quién es el más presumido de la clase.

**12.a.** Lee los siguientes textos e imagina a quién se refieren.

A) _____ usaban adornos o piedras preciosas como horquillas para sujetarse el pelo.

B) _____ fue _____ _____ que utilizó tacones de punta fina. Prohibió que _____ de la corte usaran tacones. De esa forma quería resaltar su superioridad.

C) _____ la estética constituyó una auténtica obsesión. _____ utilizaban cosméticos, se maquillaban, se peinaban, y se depilaban _____.

¿Has pensado en hombres o en mujeres? ¿Por qué? Háblalo con tus compañeros.

**b. Comprueba si has acertado. Relaciona ahora los textos de 12.a con alguna de las siguientes opciones.**

- En el Imperio romano… / Hombres y mujeres… / por igual.

- En la China antigua tanto los hombres como las mujeres…

- Luis XIV, el rey Sol,… / el primer hombre… / otros hombres

☺☺ **C. Observa la información referida a los hábitos de los españoles en relación a la belleza y al cuidado del cuerpo y compáralos con los hábitos de los hombres de tu cultura.**

- Gasto anual del español en productos de aseo (desodorante, dentífrico, gel de baño…): 49% (frente a los 53 de la media europea).

- El 6% de los españoles se aplica crema hidratante, nutritiva o antienvejecimiento, (frente al 11% de los europeos).

- El 54% de los españoles están muy preocupados por su olor corporal. Son adictos al desodorante y al perfume.

## DESARROLLO DE ESTRATEGIAS

☺☺ **13.a.** ¿Has memorizado muchas palabras con la estrategia de UTILIZAR RIMAS Y REPETIRLAS? ¿Con qué palabras te ha sido más útil? Escríbelas.

_____

_____

_____

_____

☺☺ **b.** Escucha las rimas que pensaron tus compañeros para memorizar palabras. ¿Hay alguna que crees que te puede servir? Toma nota de ella.

_____

_____

_____

_____

☺☺ **c.** ¿Hay alguna otra palabra que te resulta muy difícil memorizar? ¿Qué otra estrategia podrías utilizar? Coméntalo con tus compañeros.

**1.a.** ¿Crees que la gramática del español es fácil o difícil? ¿Qué aspectos gramaticales te parecen más complicados? Escríbelo.

_____

_____

_____

**b.** Cuando descubres una nueva estructura gramatical ¿haces algo para ayudarte a aprenderla mejor?

❑ Estudio mucho para intentar memorizar bien la nueva estructura.

❑ Hago muchos ejercicios para practicar esa nueva estructura.

❑ Intento practicarla hablando o por escrito.

❑ Otra cosa:_____

_____

**c.** Observa la estrategia que utiliza Paul para ayudarse a aprender mejor una nueva estructura gramatical. ¿Utilizas tú esa misma estrategia?

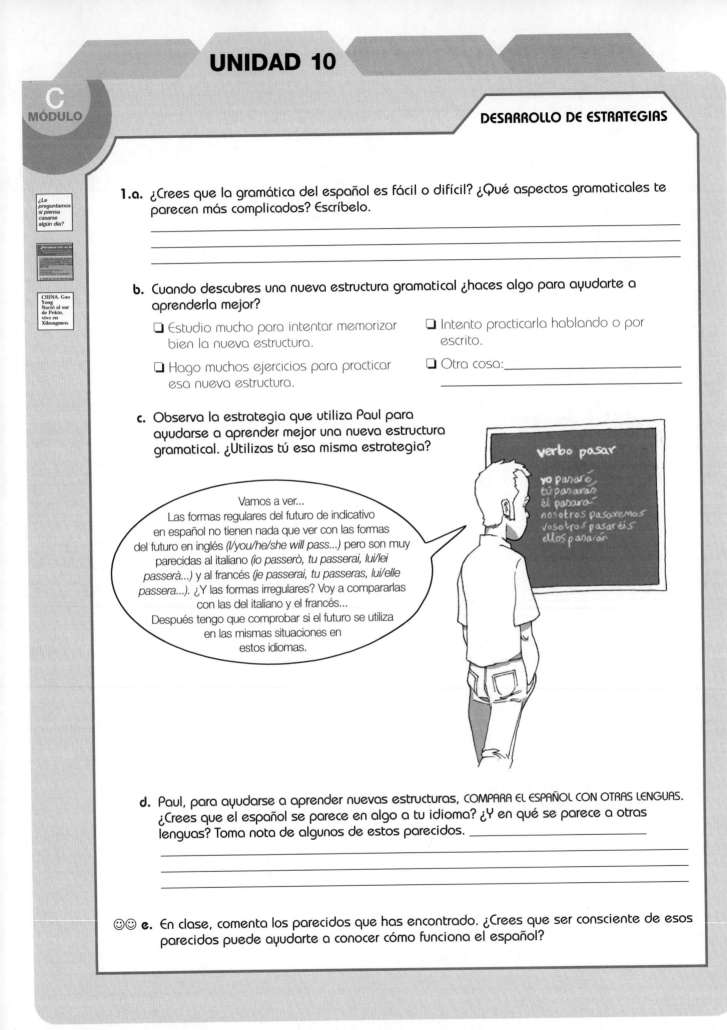

> Vamos a ver...
> Las formas regulares del futuro de indicativo en español no tienen nada que ver con las formas del futuro en inglés (*I/you/he/she will pass...*) pero son muy parecidas al italiano (*io passerò, tu passerai, lui/lei passerà...*) y al francés (*je passerai, tu passeras, lui/elle passera...*). ¿Y las formas irregulares? Voy a compararlas con las del italiano y el francés...
> Después tengo que comprobar si el futuro se utiliza en las mismas situaciones en estos idiomas.

verbo pasar

yo pasaré,
tú pasarás
él pasará
nosotros pasaremos
vosotros pasaréis
ellos pasarán

**d.** Paul, para ayudarse a aprender nuevas estructuras, COMPARA EL ESPAÑOL CON OTRAS LENGUAS. ¿Crees que el español se parece en algo a tu idioma? ¿Y en qué se parece a otras lenguas? Toma nota de algunos de estos parecidos. _____

_____

_____

_____

☺☺ **e.** En clase, comenta los parecidos que has encontrado. ¿Crees que ser consciente de esos parecidos puede ayudarte a conocer cómo funciona el español?

**2.a. Lee las siguientes predicciones. ¿A qué se refieren?**

| Informática | Cine | Medicina | Música | Radio | Telefonía |

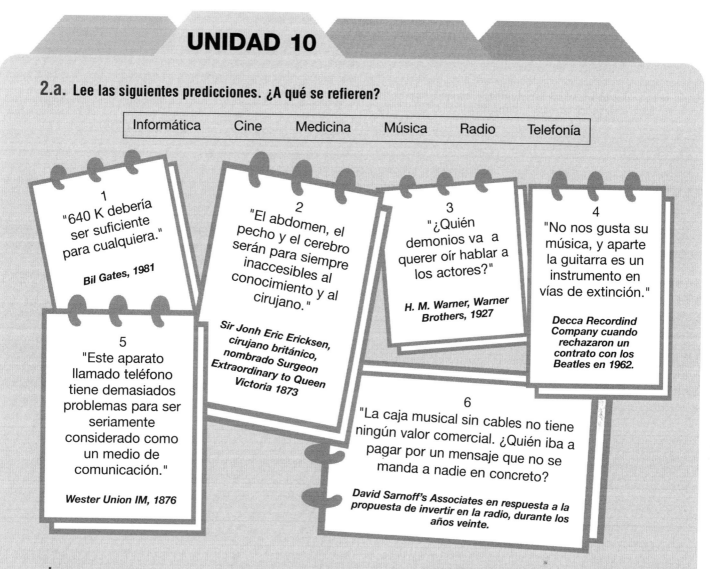

**1**

"640 K debería ser suficiente para cualquiera."

*Bil Gates, 1981*

**2**

"El abdomen, el pecho y el cerebro serán para siempre inaccesibles al conocimiento y al cirujano."

*Sir Jonh Eric Ericksen, cirujano británico, nombrado Surgeon Extraordinary to Queen Victoria 1873*

**3**

"¿Quién demonios va a querer oír hablar a los actores?"

*H. M. Warner, Warner Brothers, 1927*

**4**

"No nos gusta su música, y aparte la guitarra es un instrumento en vías de extinción."

*Decca Recordind Company cuando rechazaron un contrato con los Beatles en 1962.*

**5**

"Este aparato llamado teléfono tiene demasiados problemas para ser seriamente considerado como un medio de comunicación."

*Wester Union IM, 1876*

**6**

"La caja musical sin cables no tiene ningún valor comercial. ¿Quién iba a pagar por un mensaje que no se manda a nadie en concreto?

*David Sarnoff's Associates en respuesta a la propuesta de invertir en la radio, durante los años veinte.*

**b. Completa las siguientes frases con estos verbos.**

| ❏ haber ❏ revolucionar ❏ sacar ❏ tener ❏ querer ❏ poner ❏ decir ❏ hacer ❏ poder ❏ ser ❏ tener |

a) En breve, muchas empresas _____ al mercado productos cuyos nombres se _____ por primera vez a través de la radio.

b) Dentro de cien años, _____ casi tantos teléfonos como habitantes del planeta y moverse sin uno será como estar incomunicado.

c) En el futuro se _____ curar enfermedades del abdomen, del pecho y del cerebro sobre una mesa de operaciones.

d) Hay que editar su disco, porque este grupo _____ historia. _____ el grupo pop que _____ el mundo de la música.

e) Hay que apostar por la innovación. En los próximos años los besos _____ sonido y millones de espectadores _____ escuchar las risas, las voces y el llanto de los actores.

f) En sólo veinte años los ordenadores convencionales _____ 1.100 veces más memoria.

**c. Relaciona las predicciones de 2.a. con las que se deberían haber hecho en su momento, recogidas en 2.b.**

**3.a.** ¿Qué piensas que ocurrirá en el próximo milenio en relación a los siguientes temas? Sigue el modelo y escribe sobre ello.

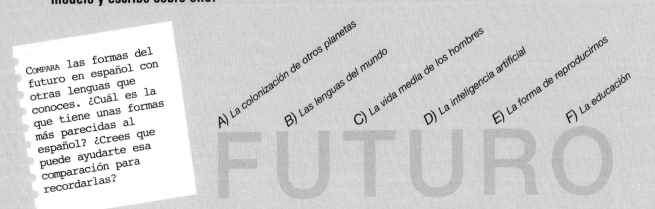

COMPARA las formas del futuro en español con otras lenguas que conoces. ¿Cuál es la que tiene unas formas más parecidas al español? ¿Crees que puede ayudarte esa comparación para recordarlas?

A) La colonización de otros planetas

B) Las lenguas del mundo

C) La vida media de los hombres

D) La inteligencia artificial

E) La forma de reproducirnos

F) La educación

FUTURO

**A.** *El hombre primero llegará a Marte. Luego seguirá por otros planetas.*

**B.** *Algunas lenguas del mundo desaparecerán.*

a _____

b _____

c _____

d _____

e _____

f _____

**b.** Estas son algunas ideas del doctor Alberto Viau relacionadas con predicciones para el próximo milenio. Clasifícalas en la tabla siguiente según te parezcan a ti más o menos seguras.

| A | B | C |
|---|---|---|
| ENCERRAR LA ENERGÍA EN CÁPSULAS Y ENVIARLA A OTROS PLANETAS COMO FORMA DE COLONIZACIÓN. | QUEDAR SOLO 14 LENGUAS EN EL MUNDO. | CONSEGUIR SER INMORTAL. |

| D | E | F |
|---|---|---|
| LAS MÁQUINAS PODER FABRICARSE A SÍ MISMAS. | ELEGIR EL SEXO DE LOS BEBÉS. | DESAPARECER LAS ESCUELAS FÍSICAMENTE. |

| Estás seguro de que va a ocurrir | Piensas que puede ocurrir | Tienes bastantes dudas, pero es posible | Piensas que no va a ocurrir |
|---|---|---|---|
| • Se podrá _____ _____ | • Es posible que _____ _____ | • Quizá _____ _____ | • No creo que _____ _____ |
| • (Es) seguro que _____ | • Es probable que _____ | • Tal vez _____ | • No creo que _____ |

**C.** Escucha las predicciones del doctor Alberto Viau sobre los temas anteriores. ¿Has coincidido con él en sus predicciones? ¿Con cuáles no estás de acuerdo? ¿Por qué?

*El profesor dice que es seguro que las lenguas quedarán reducidas a 14. Sin embargo, no creo que desaparezcan tantas, porque eso indicaría que desaparecerían muchas culturas.* _____

_____

_____

_____

☺☺ **d.** Compara tus respuestas de 3.c. con las de tus compañeros de clase.

**4.** Algunas personas dicen poder adivinar el futuro. Escribe lo que un vidente dice a las siguientes personas.

> COMPARA la estructura de esta frase con otras lenguas: **Tendré que dejar el gimnasio cuando empiece las clases.** ¿Conoces otro idioma que funcione de un modo similar?

| Cuando | dentro de tres días | en cuanto ✔ |
|---|---|---|
| la semana próxima | tres semanas | después de que |

| A | B | C | D | E |
|---|---|---|---|---|
| (nada más salir de esta consulta / encontrar / amor de tu vida) | (hoy lunes / jueves próximo / sufrir un ataque al corazón) | (tres semanas después / final del verano / tocar la lotería) | (jubilarse tu jefe / ascender en la empresa) | (hoy es lunes / el lunes próximo / llegar a tu casa / sufrir un accidente doméstico) |
| *En cuanto* salgas de esta consulta, encontrarás al amor de tu vida. _____ _____ | _____ _____ _____ _____ | _____ _____ _____ _____ | _____ _____ _____ _____ | _____ _____ _____ _____ |

**5.a.** ¿Cómo te planteas tu futuro? Contesta a este test para averiguarlo.

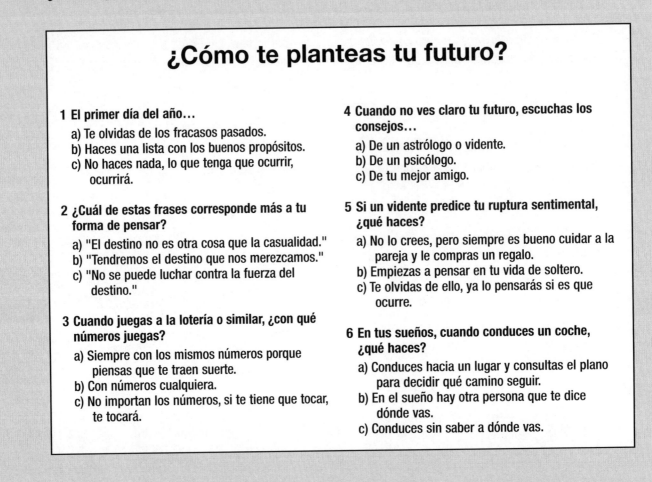

## ¿Cómo te planteas tu futuro?

**1 El primer día del año…**
a) Te olvidas de los fracasos pasados.
b) Haces una lista con los buenos propósitos.
c) No haces nada, lo que tenga que ocurrir, ocurrirá.

**2 ¿Cuál de estas frases corresponde más a tu forma de pensar?**
a) "El destino no es otra cosa que la casualidad."
b) "Tendremos el destino que nos merezcamos."
c) "No se puede luchar contra la fuerza del destino."

**3 Cuando juegas a la lotería o similar, ¿con qué números juegas?**
a) Siempre con los mismos números porque piensas que te traen suerte.
b) Con números cualquiera.
c) No importan los números, si te tiene que tocar, te tocará.

**4 Cuando no ves claro tu futuro, escuchas los consejos…**
a) De un astrólogo o vidente.
b) De un psicólogo.
c) De tu mejor amigo.

**5 Si un vidente predice tu ruptura sentimental, ¿qué haces?**
a) No lo crees, pero siempre es bueno cuidar a la pareja y le compras un regalo.
b) Empiezas a pensar en tu vida de soltero.
c) Te olvidas de ello, ya lo pensarás si es que ocurre.

**6 En tus sueños, cuando conduces un coche, ¿qué haces?**
a) Conduces hacia un lugar y consultas el plano para decidir qué camino seguir.
b) En el sueño hay otra persona que te dice dónde vas.
c) Conduces sin saber a dónde vas.

☺☺ **b.** Pregunta a tu compañero qué ha respondido a las preguntas de 5.a. e interpreta los resultados.

- Respuestas a: 3 puntos
- Respuestas b: 2 puntos
- Respuestas c: 1 punto

**De 1 a 8 puntos:** Tu manera de ver la vida no favorece tu realización personal. Crees que todo está escrito y que el destino controla tu vida. Ante una situación dolorosa te lamentas de tu suerte. Cambia de actitud, o sentirás que eres una gota de agua movida por el viento.

**De 6 a 15 puntos:** Crees que tienes que andar hacia tu destino y te preguntas a menudo si has elegido el buen camino. Esta actitud te hace sentirte satisfecho con las cosas que haces y responder con optimismo ante las dificultades. No obstante, ten en cuenta que "no todo está escrito" y que tú juegas un papel importantísimo en tu futuro.

**De 15 a 18 puntos:** Crees que tú eres el único responsable de tu futuro. No crees en el destino. Cuando las cosas van bien, te sientes satisfecho, y cuando salen mal analizas tus propias responsabilidades. Sigue así, pero deja que algo de la magia entre en tu vida.

**6.a.** Completa las siguientes instrucciones de un sencillo sistema para conocer tu futuro.

## SISTEMA PARA CONOCER TU FUTURO

1. Deberás dibujar un círculo. Cuando *tengas* (tener) dibujado el círculo, lo *dividirás* (dividir) en doce partes iguales.

2. Después de _____ (haber) realizado la operación anterior, y siguiendo el sentido de las agujas del reloj, _____ (señalar) en el círculo lo que simboliza cada una de esas partes:

**Casa 1:** enemigos y traiciones     **Casa 2:** amigos     **Casa 3:** trabajo y estudios
**Casa 4:** estado de la mente     **Casa 5:** asuntos legales     **Casa 6:** amor y matrimonio
**Casa 7:** salud     **Casa 8:** el presente     **Casa 9:** viajes
**Casa 10:** finanzas     **Casa 11:** suerte     **Casa 12:** el destino y el futuro

4. Después de que _____ (haber) terminado con la fase de los preparativos, deberás coger tres dados, los _____ (agitar) en un cubilete y los _____ (tirar) dentro del círculo.

5. En cuanto los dados _____ (estar) sobre el tablero, _____ (observar) cuidadosamente los resultados. Los _____ (interpretar) de la siguiente forma: un dado fuera del círculo indica contratiempos a los planes que tengas en ese momento; dos dados fuera indican una pelea inmediata y tres datos fuera, implican grandes problemas e inseguridad con uno mismo.

6. Los dados que después de la tirada _____ (estar) dentro del círculo, _____ (indicar) tu futuro respecto a un aspecto de tu vida concreto: cada dado _____ (hablar) sobre el tema de la casilla que haya ocupado. Para completar la interpretación, _____ (tener) que saber que cada número indica lo siguiente: el número uno predice un resultado de prosperidad y bienestar; el dos implica un éxito, aunque para conseguirlo _____ (haber) de superar algunas dificultades; el tres, un éxito seguro, fácil; el cuatro, problemas; el cinco, tranquilidad y necesidad de continuar por el mismo camino; el seis, situación de incertidumbre.

**b.** Utiliza ahora esta plantilla para hacer el dibujo del círculo explicado en 6.a., y con unos dados averigua tu futuro. Anota las predicciones.

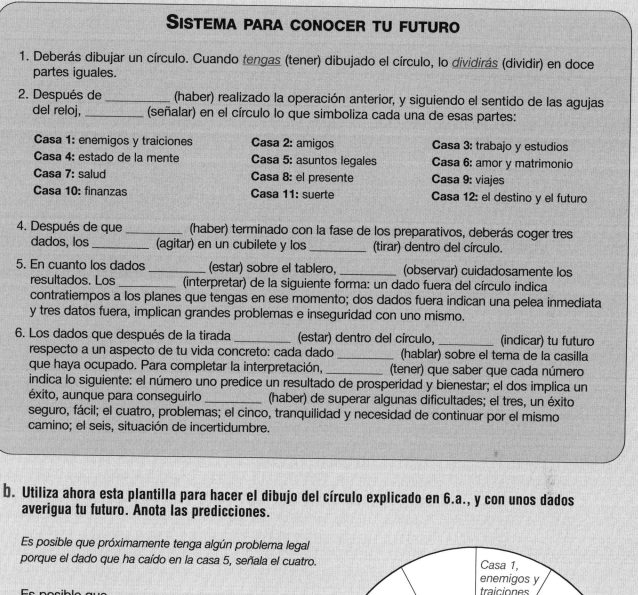

*Es posible que próximamente tenga algún problema legal porque el dado que ha caído en la casa 5, señala el cuatro.*

Es posible que _____

_____ porque _____

Puede que _____

porque _____

Quizá _____

porque _____

Tal vez _____

porque _____

☺☺ **C.** Pide a tu compañero que piense en el amor, en su salud y en su trabajo. Tira el dado, observa el número que ha salido y su posible interpretación (explicada en 6.a) y hazle predicciones sobre su futuro.

> COMPARA las formas del pretérito imperfecto de subjuntivo con las del pretérito indefinido. ¿Crees que puede ayudarte?

**7.a.** Organiza en esta tabla un esquema de las formas del pretérito imperfecto de subjuntivo de los principales verbos irregulares.

| Infinitivo | ir | poder | decir | estar | venir | tener | hacer | ser |
|---|---|---|---|---|---|---|---|---|
| Imperfecto de subjuntivo | ___ | ___ | ___ | ___ | ___ | ___ | ___ | ___ |

**b.** Escribe la 3ª persona de singular del pretérito imperfecto de subjuntivo de los verbos entre paréntesis. Completarás la definición de diferentes personajes de ficción que hacen realidad los deseos. Escribe, después, su nombre en la columna de la derecha.

| | | |
|---|---|---|
| | a) Si se _____ (ir) a una isla desierta, se llevaría su escoba. | b _ u j _ |
| | b) Si _____ (poder), se escaparía de su lámpara maravillosa. | g _ _ n _ _ |
| | c) Si _____ (decir) una frase, sería "Lo dicen las estrellas". | a s _ r _ _ o _ o |
| | d) Si no _____ (estar) todo el día con su bola de cristal, podría pasar por una persona normal. | v _ d _ n _ e |

| | | |
|---|---|---|
| | e) Si _____ (venir) volando y echando humo, pensaríamos que se ha escapado de un cuento. | d _ a _ _ n |
| | f) Si _____ (tener) que elegir un cuento que haya protagonizado, elegiría el de La Cenicienta. | _ a _ a |
| | g) Si _____ (hacer) un conjuro, diría "Abracadabra". | m _ _ _ |

**8.a.** Todas las palabras siguientes han aparecido en esta unidad. Pronúncialas primero y luego clasifícalas, según correspondan al sonido [x] o [g].

objeto    bruja    brujo    mago
seguro    genio    dijimos    consigue
jugar    astrología    seguimos    galaxia

| Sonido [x] | | | | |
|---|---|---|---|---|
| ja | je/ge | ji/gi | jo | ju |
| ___ | ___ | ___ | ___ | ___ |

| Sonido [g] | | | | |
|---|---|---|---|---|
| ga | gue | gui | go | gu |
| ___ | ___ | ___ | ___ | ___ |

🎧 **b.** Comprueba tus respuestas y presta atención a las diferencias entre los distintos sonidos.

¿Qué sonidos de la tabla pueden escribirse de manera distinta? Pon algunos ejemplos.

☺☺ **C.** Piensa en palabras con j y con g y díctaselas a tu compañero. Después comprueba si las ha escrito correctamente.

> COMPARA las palabras que has escrito en español con otras parecidas en otras lenguas (por ejemplo, jugar, en francés es jouer). ¿Se escriben también con g o con j? ¿Cómo se pronuncian?

# UNIDAD 10

**9.a.** **Las cosas que planeamos pueden fallar. Relaciona las dos columnas y forma frases sobre los imprevistos que pueden surgir en algunas situaciones.**

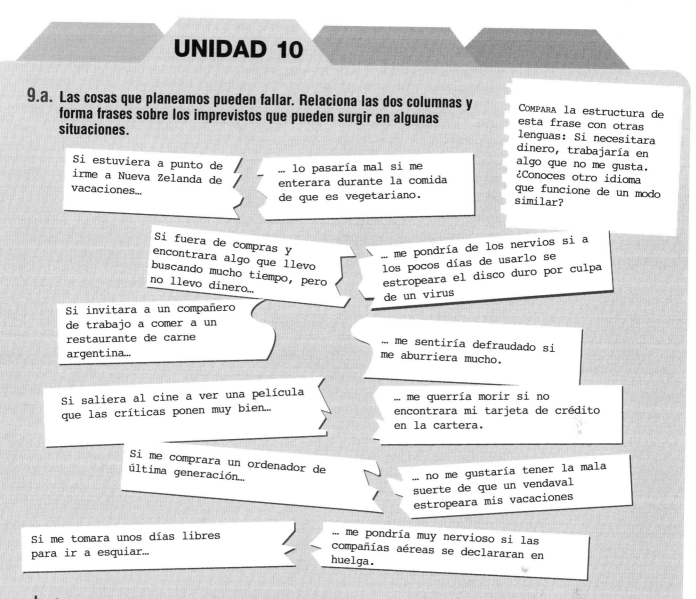

Si estuviera a punto de irme a Nueva Zelanda de vacaciones...

... lo pasaría mal si me enterara durante la comida de que es vegetariano.

COMPARA la estructura de esta frase con otras lenguas: Si necesitara dinero, trabajaría en algo que no me gusta. ¿Conoces otro idioma que funcione de un modo similar?

Si fuera de compras y encontrara algo que llevo buscando mucho tiempo, pero no llevo dinero...

... me pondría de los nervios si a los pocos días de usarlo se estropeara el disco duro por culpa de un virus

Si invitara a un compañero de trabajo a comer a un restaurante de carne argentina...

... me sentiría defraudado si me aburriera mucho.

Si saliera al cine a ver una película que las críticas ponen muy bien...

... me querría morir si no encontrara mi tarjeta de crédito en la cartera.

Si me comprara un ordenador de última generación...

... no me gustaría tener la mala suerte de que un vendaval estropeara mis vacaciones

Si me tomara unos días libres para ir a esquiar...

... me pondría muy nervioso si las compañías aéreas se declararan en huelga.

**b.** **Completa esta tabla con la siguiente información:**

- Primera columna: piensa en planes que te gustaría realizar próximamente.
- Segunda columna: piensa en un motivo que te impediría realizar cada uno de esos planes y describe cómo te sentirías.

| Planes que me gustaría realizar próximamente | ¿Qué podría impedirlos? ¿Cómo me sentiría? |
|---|---|
| *Me gustaría hacer un curso de español en Ecuador este verano* | *Me molestaría que después de reservar el curso y planear mis vacaciones anularan el curso por falta de alumnos* |
|  |  |
|  |  |
|  |  |

☺☺ **c.** **Dicta a tu compañero la información que has apuntado en la segunda columna de la tabla anterior. ¿Es capaz de descubrir a qué posible plan se refiere?**

**10.a. Lee el fragmento de este poema. ¿Conoces el texto? ¿Sabes quién lo ha escrito?**

Gabriel García Márquez

Jorge Luis Borges

### La marioneta

*"Si por un instante Dios se olvidara de que soy una marioneta de trapo y me regalara un trozo de vida, aprovecharía ese tiempo lo más que pudiera.*

*Posiblemente no diría todo lo que pienso, pero en definitiva pensaría todo lo que digo.*

*Daría valor a las cosas, no por lo que valen, sino por lo que significan.*

*Dormiría poco, soñaría más, entiendo que por cada minuto que cerramos los ojos, perdemos sesenta segundos de luz.*

*Andaría cuando los demás se detienen, me despertaría cuando los demás duermen."*

a) Es un texto de Jorge Luis Borges que escribió a punto de morir y en el que habla del sentido de la vida.

b) Es un poema que Gabriel García Márquez escribió tras la noticia del agravamiento de una complicada enfermedad que padece.

c) Es un texto de un escritor anónimo que aprovechó el nombre de un célebre escritor para difundir por Internet un poema.

**b. Lee el siguiente recorte de prensa y comprueba tu respuesta en 10.a.**

# Denuncian apócrifo de Gabo

Varios diarios de la Ciudad de México cayeron en la trampa del autor anónimo que quiso atribuir a Gabriel García Márquez (Gabo, según se le conoce entre sus amigos) el poema "La marioneta". Se afirmaba que Gabo había enviado el poema a sus amigos el pasado fin de semana al saber que el cáncer que padece se había agravado.

Abelló, titular de la Fundación García Márquez, afirmó categórico: "Es totalmente apócrifo y circula en la Red desde hace un año. Me recuerda aquel poema que le fue atribuido falsamente a Borges". El propio García Márquez le había confesado: "Es tan malo que no vale la pena desmentirlo".

Abelló se refería al poema "Instantes", también atribuido erróneamente a Borges, una composición de escasa calidad literaria que se difundió en fotocopias durante la década de los ochenta y cuyo autor era en realidad el caricaturista estadounidense Don Herold, quien lo publicó en septiembre de 1953 en la revista The Reader's Digest. Los primeros versos de "Instantes" ("Si pudiera vivir nuevamente mi vida / en la próxima trataría de cometer más errores"), tienen el mismo tono que los de "La marioneta".

"Es una lástima que haya tan buenos falsificadores de pinturas y que los de literatura sean pésimos", comentó Eloy Martínez.

*Antonio Bertrán, Reforma, México (texto adaptado de http://sololiteratura.com/marquezdenuncian.htm)*

## c. Lee de nuevo el texto y contesta a las preguntas.

¿En qué sentido se utiliza la palabra apócrifo?

a) Se dice de un texto falso.
b) Se dice de un texto literario que se atribuye a un escritor consagrado.

¿Fue novedosa la técnica para dar a conocer el poema "La Marioneta"?

a) Sí, porque utilizó Internet para difundir un poema con el nombre de Gabriel García Márquez.
b) No, porque ya había ocurrido algo similar cuando se atribuyó el poema "Instantes" a Jorge Luis Borges.

## d. Demuestra que tú puedes ser un "buen falsificador literario". Escribe una nueva versión de "La marioneta".

### La marioneta

"Si por un instante Dios se olvidara de que soy _____ y me _____ un trozo de vida, _____ ese tiempo para _____.

Posiblemente no _____, pero en definitiva _____ todo lo que _____.

_____ cosas pequeñas, no por lo que _____, sino por lo que _____.

_____ poco, _____ más, entiendo que por cada minuto que _____, perdemos sesenta segundos de _____.

_____ cuando los demás _____, me _____ cuando los demás _____."

---

### DESARROLLO DE ESTRATEGIAS

**11.a.** ¿Has encontrado muchos parecidos entre el español y otras lenguas o has encontrado más diferencias? Escríbelo en esta tabla.

| Estructuras del español que son parecidas a otras lenguas | Estructuras del español que son diferentes a otras lenguas | |
|---|---|---|
| | | Al francés, al italiano, al portugués... |
| | | A otras estructuras del español. |
| | | Al inglés, al alemán, al holandés... |
| | | A otras lenguas |

☺☺ **b.** Comenta con tus compañeros la tabla anterior y si esta estrategia te ha resultado útil o no para aprender nuevas estructuras.

**1.a.** Antes de empezar a leer un artículo de una revista ¿sueles hacer algo que te ayude a comprenderlo?

❏ Hago una lectura rápida para entenderlo globalmente y después lo leo despacio.

❏ Lo leo sin obsesionarme por las palabras que no conozco.

❏ Lo leo para identificar las palabras que no conozco y buscarlas en el diccionario.

❏ Hago otra cosa: _____

**b.** ¿Tus compañeros tienen alguna estrategia para ayudarse a leer que te parezca interesante? Toma nota de ella.

☺☺ **c.** Paul está apunto de leer un artículo en una revista. Observa lo que hace antes de leerlo. ¿Sueles hacerlo tú también?

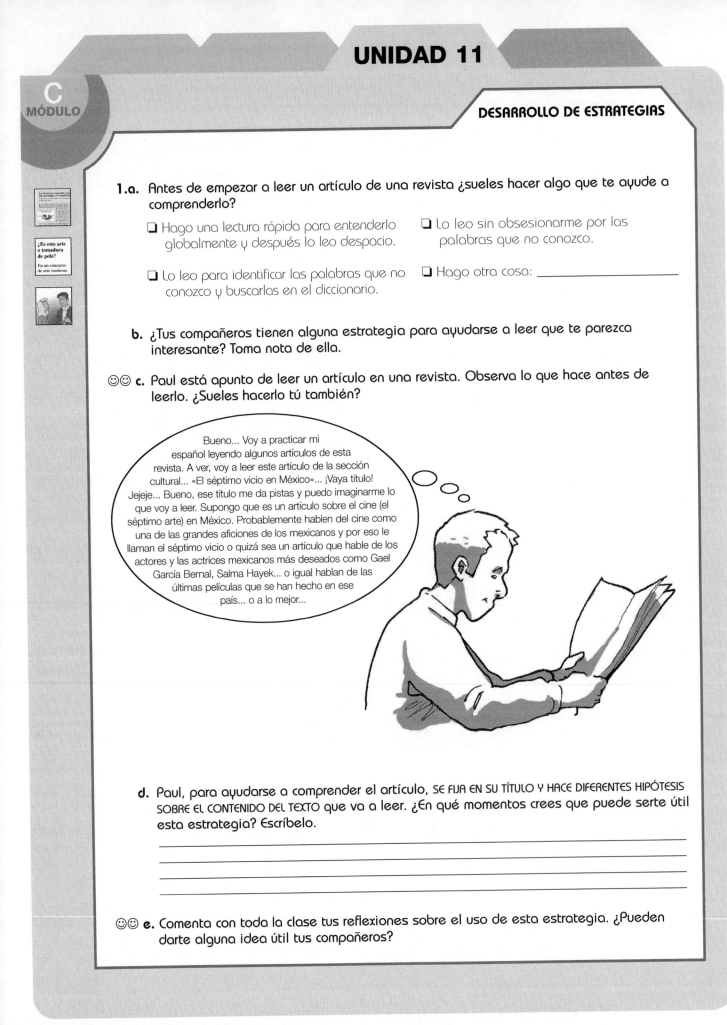

> Bueno... Voy a practicar mi español leyendo algunos artículos de esta revista. A ver, voy a leer este artículo de la sección cultural... «El séptimo vicio en México»... ¡Vaya título! Jejeje... Bueno, ese título me da pistas y puedo imaginarme lo que voy a leer. Supongo que es un artículo sobre el cine (el séptimo arte) en México. Probablemente hablen del cine como una de las grandes aficiones de los mexicanos y por eso le llaman el séptimo vicio o quizá sea un artículo que hable de los actores y las actrices mexicanos más deseados como Gael García Bernal, Salma Hayek... o igual hablan de las últimas películas que se han hecho en ese país... o a lo mejor...

**d.** Paul, para ayudarse a comprender el artículo, SE FIJA EN SU TÍTULO Y HACE DIFERENTES HIPÓTESIS SOBRE EL CONTENIDO DEL TEXTO que va a leer. ¿En qué momentos crees que puede serte útil esta estrategia? Escríbelo.

_____
_____
_____
_____

☺☺ **e.** Comenta con toda la clase tus reflexiones sobre el uso de esta estrategia. ¿Pueden darte alguna idea útil tus compañeros?

**2.a.** Lee los siguientes titulares y relaciónalos con una de las noticias que vas a escuchar.

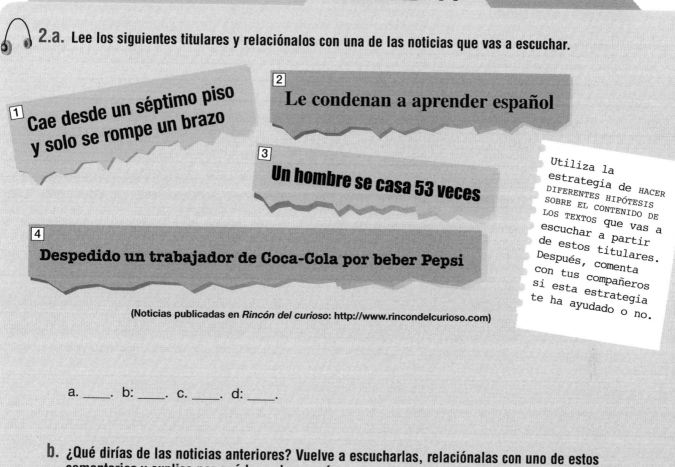

**1** Cae desde un séptimo piso y solo se rompe un brazo

**2** Le condenan a aprender español

**3** Un hombre se casa 53 veces

**4** Despedido un trabajador de Coca-Cola por beber Pepsi

Utiliza la estrategia de HACER DIFERENTES HIPÓTESIS SOBRE EL CONTENIDO DE LOS TEXTOS que vas a escuchar a partir de estos titulares. Después, comenta con tus compañeros si esta estrategia te ha ayudado o no.

(Noticias publicadas en *Rincón del curioso*: http://www.rincondelcurioso.com)

a. ____. b: ____. c. ____. d: ____.

**b.** ¿Qué dirías de las noticias anteriores? Vuelve a escucharlas, relaciónalas con uno de estos comentarios y explica por qué las valoras así.

¡Me parece indignante!

¡Qué barbaridad! ¡Es una exageración!

¡Es sorprendente! ¡Increíble!

¡Es un poco sorprendente, pero me parece una buena medida!

Noticia a: ¡Me parece indignante! No hay derecho a que las empresas despidan a sus empleados por razones tan absurdas.

a) _____

_____

b) _____

_____

c) _____

_____

d) _____

_____

**3.a.** **¿Habías oído hablar anteriormente de las siguientes informaciones? Contesta como en el modelo.**

| Ya lo sabía | No tenía ni idea / No lo sabía | Sí, lo he leído / lo he escuchado / lo había oído. |
|---|---|---|

a) ¿Te has enterado de que las investigaciones recientes dicen que las personas que donan sangre están menos expuestos a las enfermedades cardíacas?

*Sí, lo había leído en alguna revista médica. / No, no lo sabía*

b) ¿Sabías que la risa es un ejercicio que ventila los pulmones y que hace mover los músculos?

c) ¿Sabías que se tardó 22 millones de años en calcular la distancia de la Tierra al Sol?

d) ¿Te has enterado de que el informe del Fondo Mundial para la Conservación de la Naturaleza dice que cada año desaparecen miles de especies en la Amazonia?

**b.** **Escucha y relaciona ahora los cuatro diálogos con una de las informaciones anteriores.**

1. ____. 2: ____. 3. ____. 4: ____.

**4.a.** **Lee el siguiente artículo publicado en Internet y señala cuál puede ser el título con el que se dio a conocer la noticia.**

Títulos posibles:

a) Opinar en Internet: di lo que piensas y no digas quién eres. ❑
b) Teleoportunidades en Internet. ❑
c) Cobrar por opinar. ❑

Antes de leer el texto, HAZ HIPÓTESIS SOBRE SU CONTENIDO a partir de los títulos. Después, realiza la actividad y comenta con tus compañeros si esta estrategia te ha ayudado o no.

http://www.ganardinero.com

Ganar dinero ahora es más fácil gracias a Internet. Todo consiste en entrar en la web de la empresa que paga este tipo de servicios (suelen ser empresas de estudio de mercado, empresas que comercializan productos o similares) y redactar opiniones sobre temas variados: fútbol, deportistas, películas, actores, series, presentadores, coches, motos, ciudades, sitios de Internet, productos que comercializa esa empresa, etc. Suele haber una extensión mínima o, en algunos casos, máxima. Suelen pedir que tu opinión tenga entre 75 y 90 palabras.

Ganas dinero con cada opinión que tú escribes y cada vez que cualquier persona lee tus comentarios. Algunas empresas pagan por "oleadas de opinión"; es decir, pagan cuando entre todos los socios se llega a una cantidad dada de opiniones. Pueden ser 25.000, 50.000, 100.000, etc. Cuando se alcanza la cifra estipulada, cobras lo que hayas ganado durante ese período.

Puede ser una interesante opción para conseguir algún dinerillo en Internet, pero cuidado, porque algunas empresas no ofrecen casi nada y funcionan como simples centrales publicitarias que te llevan hasta su página con el objetivo de conseguir venderte alguno de sus productos.

Texto adaptado de
http://www.ganardinero.cl/Por_Opinar.htm

**b.** ¿Crees que las siguientes personas han cobrado por opinar sobre la situación de la vivienda? Lee sus opiniones, complétalas con los verbos indicados y luego decide.

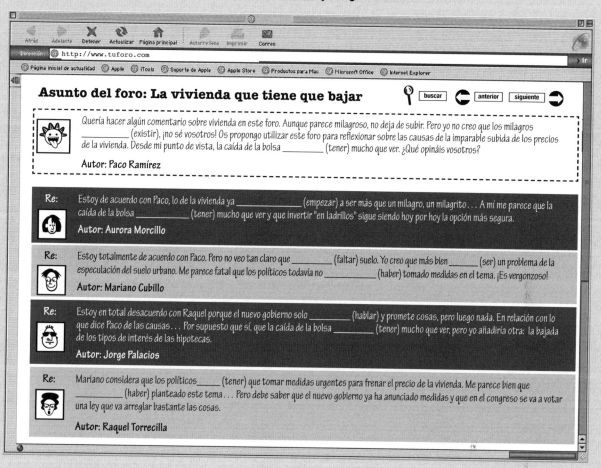

**Asunto del foro: La vivienda que tiene que bajar**

Quería hacer algún comentario sobre vivienda en este foro. Aunque parece milagroso, no deja de subir. Pero yo no creo que los milagros _____ (existir), ¡no sé vosotros! Os propongo utilizar este foro para reflexionar sobre las causas de la imparable subida de los precios de la vivienda. Desde mi punto de vista, la caída de la bolsa _____ (tener) mucho que ver. ¿Qué opináis vosotros?

Autor: Paco Ramírez

**Re:** Estoy de acuerdo con Paco, lo de la vivienda ya _____ (empezar) a ser más que un milagro, un milagrito... A mí me parece que la caída de la bolsa _____ (tener) mucho que ver y que invertir "en ladrillos" sigue siendo hoy por hoy la opción más segura.

Autor: Aurora Morcillo

**Re:** Estoy totalmente de acuerdo con Paco. Pero no veo tan claro que _____ (faltar) suelo. Yo creo que más bien _____ (ser) un problema de la especulación del suelo urbano. Me parece fatal que los políticos todavía no _____ (haber) tomado medidas en el tema. ¡Es vergonzoso!

Autor: Mariano Cubillo

**Re:** Estoy en total desacuerdo con Raquel porque el nuevo gobierno solo _____ (hablar) y promete cosas, pero luego nada. En relación con lo que dice Paco de las causas... Por supuesto que sí, que la caída de la bolsa _____ (tener) mucho que ver, pero yo añadiría otra: la bajada de los tipos de interés de las hipotecas.

Autor: Jorge Palacios

**Re:** Mariano considera que los políticos _____ (tener) que tomar medidas urgentes para frenar el precio de la vivienda. Me parece bien que _____ (haber) planteado este tema... Pero debe saber que el nuevo gobierno ya ha anunciado medidas y que en el congreso se va a votar una ley que va a arreglar bastante las cosas.

Autor: Raquel Torrecilla

**c.** Para cobrar por opinar, debes conocer muy bien las expresiones adecuadas. Completa este gráfico con expresiones de los textos anteriores. Presta atención: en las casillas sombreadas van expresiones que exigen subjuntivo.

| Expresar opinión | Expresar acuerdo | Expresar desacuerdo | Expresar aprobación / desaprobación | Recoger las opiniones de otros |
|---|---|---|---|---|
| | _____ | | | |
| _____ | Por supuesto que no (tras una opinión negativa) | Pues depende, según se mire porque... | | _____ |
| Creo que | Depende. | _____ | | Plantea que... |
| _____ | Sí, sí. | Que no, que... | | _____ |
| Para mí... | _____ | _____ | _____ | Opina que... |
| | Estoy totalmente de acuerdo. | No estoy nada de acuerdo | _____ | Piensa que... |

**5.** Lee las siguientes opiniones que se pueden encontrar en Internet sobre los problemas más importantes del mundo actual. Expresa tu grado de acuerdo con cada una de ellas y justifícalo

*No estoy nada de acuerdo con la opinión del Sr. Babaoglu. Yo creo que el terrorismo es un problema actual, pero no es verdad que no haya ningún lugar seguro en el mundo.*

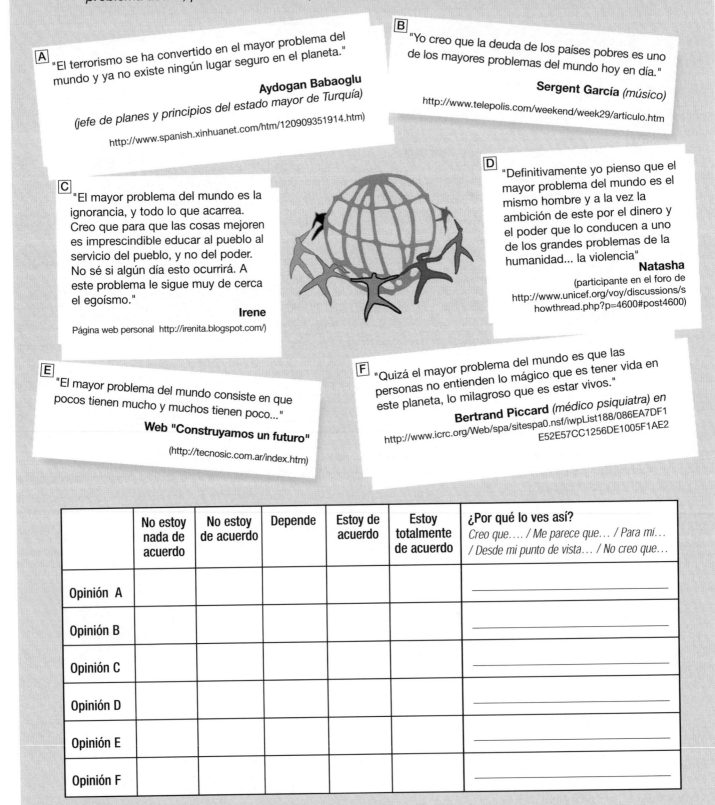

**A** "El terrorismo se ha convertido en el mayor problema del mundo y ya no existe ningún lugar seguro en el planeta."

**Aydogan Babaoglu**

*(jefe de planes y principios del estado mayor de Turquía)*

http://www.spanish.xinhuanet.com/htm/120909351914.htm)

**B** "Yo creo que la deuda de los países pobres es uno de los mayores problemas del mundo hoy en día."

**Sergent García** *(músico)*

http://www.telepolis.com/weekend/week29/articulo.htm

**C** "El mayor problema del mundo es la ignorancia, y todo lo que acarrea. Creo que para que las cosas mejoren es imprescindible educar al pueblo al servicio del pueblo, y no del poder. No sé si algún día esto ocurrirá. A este problema le sigue muy de cerca el egoísmo."

**Irene**

Página web personal  http://irenita.blogspot.com/)

**D** "Definitivamente yo pienso que el mayor problema del mundo es el mismo hombre y a la vez la ambición de este por el dinero y el poder que lo conducen a uno de los grandes problemas de la humanidad... la violencia"

**Natasha**

(participante en el foro de http://www.unicef.org/voy/discussions/s howthread.php?p=4600#post4600)

**E** "El mayor problema del mundo consiste en que pocos tienen mucho y muchos tienen poco..."

**Web "Construyamos un futuro"**

(http://tecnosic.com.ar/index.htm)

**F** "Quizá el mayor problema del mundo es que las personas no entienden lo mágico que es tener vida en este planeta, lo milagroso que es estar vivos."

**Bertrand Piccard** *(médico psiquiatra) en*

http://www.icrc.org/Web/spa/sitespa0.nsf/iwpList188/086EA7DF1 E52E57CC1256DE1005F1AE2

| | No estoy nada de acuerdo | No estoy de acuerdo | Depende | Estoy de acuerdo | Estoy totalmente de acuerdo | ¿Por qué lo ves así? *Creo que…. / Me parece que… / Para mí… / Desde mi punto de vista… / No creo que…* |
|---|---|---|---|---|---|---|
| Opinión A | | | | | | _____ |
| Opinión B | | | | | | _____ |
| Opinión C | | | | | | _____ |
| Opinión D | | | | | | _____ |
| Opinión E | | | | | | _____ |
| Opinión F | | | | | | _____ |

**6.a.** Lee el siguiente cuento e indica en qué orden deben ir las viñetas.

> En primer / En segundo lugar / En tercer lugar
> La siguiente es…
> Va antes de / Va después de…
> Por último va…

Lee el título del cuento y HAZ HIPÓTESIS SOBRE SU CONTENIDO.

## LOS PROBLEMAS DEL MUNDO

Un científico, que vivía preocupado con los problemas del mundo, estaba decidido a encontrar los medios para solucionarlos. Pasaba días en su laboratorio en busca de respuestas para sus dudas. Cierto día, su hijo de siete años entró en su despacho decidido a ayudarlo a trabajar. El científico, nervioso por la interrupción, le pidió al niño que se fuera a jugar a otro lado. Pero viendo que era imposible sacarlo de su despacho, el padre pensó en algo que pudiera darle con el objetivo de distraer su atención. De repente se encontró con una revista, en donde había un mapa con el mundo, justo lo que precisaba. Con unas tijeras recortó el mapa en varios pedazos y junto con un rollo de cinta se lo entregó a su hijo diciéndole:

– Como te gustan los rompecabezas, te voy a dar el mundo todo roto para que lo repares sin ayuda de nadie.

Entonces calculó que al pequeño le llevaría 10 días componer el mapa, pero no fue así. Pasadas algunas horas, escuchó la voz del niño que lo llamaba calmadamente.

– Papá, papá, ya hice todo, conseguí terminarlo.

Al principio el padre no creyó al niño. Pensó que sería imposible, que su hijo no había podido recomponer el mapa del mundo, porque nunca antes había visto un mapa del mundo. Desconfiado, el científico levantó la vista de sus anotaciones con la certeza de que vería el trabajo digno de un niño. Para su sorpresa, el mapa estaba completo. Todos los pedazos estaban colocados correctamente. ¿Cómo era posible? ¿Cómo el niño había sido capaz?

– Hijito, tú no sabías cómo era el mundo; ¿cómo lo lograste?

– Papá, yo no sabía cómo era el mundo, pero cuando sacaste el mapa de la revista para recortarlo, vi que en el otro lado estaba la figura de un hombre. Así que di vuelta a los recortes y comencé a recomponer al hombre, que sí sabía cómo era. Cuando conseguí arreglar al hombre, di vuelta a la hoja y vi que había arreglado al mundo.

http://www.ciudadredonda.org/paz/casa_solidaria/tablon/postal/material/marzo2003.ppt (texto adaptado)

*En primer lugar va la viñeta* _____

_____

**b.** **¿Con qué opinión de la actividad 5 relacionas el cuento anterior? ¿Por qué?**

*El cuento se relaciona con la opinión _____ porque* _____
_____

**c.** **¿Estás de acuerdo con el mensaje del cuento: "Si arreglas al hombre, arreglas al mundo"? Explica en cuatro líneas si consideras o no que el hombre es el causante de sus propios problemas y justifica tu opinión.**

*Para mí,* _____ *. Desde mi punto de vista* _____,
_____ *. Creo que* _____
_____ *. Sin embargo, no creo que* _____
_____
_____
_____

**7.a.** **Todos los problemas del mundo son importantes, pero ¿cuáles te preocupan a ti especialmente? Completa la lista.**

**¿Qué problema del mundo es...**

a) El que más te preocupa en general: _____
_____

b) El que más miedo te da: _____

c) El que más te inquieta: _____

d) El que más te indigna: _____

e) El que crees que tiene peor solución: _____

f) El que crees que más puede condicionar el futuro de nuestro planeta: _____
_____

g) El que más muertes puede provocar: _____

h) El que crees que más preocupa a los jóvenes: _____

i) El que crees que más preocupa a los mayores: _____

j) El que crees que más preocupa a la gente de tu país: _____

- el terrorismo
- las guerras
- la globalización
- el hambre
- la inmigración
- la degradación del medio ambiente

- el efecto invernadero
- la pérdida de valores
- la insolidaridad
- el hambre
- la corrupción y el abuso de poder
- los modos de reproducción (clonación, etc.)

- la inseguridad
- miedo
- la explotación
- la desigualdades sociales
- el desequilibrio entre países desarrollados y en vías de desarrollo
- el paro

☺☺ **b.** **Compara tus frases con las de un compañero. ¿Coincide contigo en algo?**

☺☺**8.a.** En parejas, A y B: Repite mentalmente la información que aparece en el texto que te corresponde y después díctasela (SIN LEERLA) a tu compañero. Presta atención a la pronunciación de los sonidos que aparecen en negrita.

**ALUMNO A**

No ten**dr**emos en nues**tr**as manos soluciones para los **probl**emas del mundo,

_____

_____

_____.

**ALUMNO B**

_____

_____

_____

pero **fr**ente a los **probl**emas del planeta, po**dr**emos usar siem**pr**e nuestras ideas.

**b.** Practica la pronunciación de consonante + r / l. Localiza en la lista de la actividad 7 palabras con esos sonidos y defínelas sin decir su nombre. Tu compañero tiene que pronunciar la palabra correspondiente.

**c.** ¿Utilizas alguna de estas estrategias de pronunciación? Léelas y, después, responde a las preguntas.

Escuchar varias veces, ensayar la pronunciación y repetir.

Practicar la pronunciación en una conversación, leyendo en voz alta, recitando un poema, etc.

Escuchar para reconocer un sonido y aprender a diferenciarlo de otro.

Escuchar la TV, una canción, una conferencia, y prestar atención a los sonidos del español.

**¿Cuál de estas estrategias es...**

a) La que te parece que podría ayudarte más a mejorar tu pronunciación?

_____

b) La que crees que es importante, pero no utilizas mucho?

_____

c) La que nunca utilizas, pero podrías ensayar para ver qué resultados obtienes con ella?

_____

d) La que utilizas normalmente y te da buenos resultados?

_____

☺☺ **d.** Habla con tus compañeros para ver qué estrategias de pronunciación les resultan más útiles a ellos.

**9.** Elige un tema de actualidad que te interese especialmente y escribe un breve texto en el que expliques tu opinión.

**PLANIFICA TU ESCRITO:**

- Haz una lista de las opiniones de otras personas sobre el tema.

- Señala con qué opiniones estás de acuerdo y con cuáles no.

- Señala tu opinión y justifícala.

- Utiliza en tu escrito las expresiones que has trabajado en esta unidad.

**10.a.** Contesta a este test y luego comprueba el resultado.

Lee el título de este test y HAZ HIPÓTESIS sobre las preguntas que va a plantearte. ¿Crees que esta estrategia te ha ayudado a comprender mejor este test?

## ¿OPINAS SOBRE ASUNTOS QUE NO DEBERÍAS?

**1. ¿Sueles ir dando tu opinión allí donde vas?**
   a) No, cuanto menos digo, menos problemas.
   b) Sí, no me callo lo que pienso.
   c) No, solo lo hago cuando directamente me la piden.

**2. ¿Alguna vez te han acusado de opinar sobre cosas que afectaban a otras personas, pero no a ti directamente?**
   a) Sí, pero es que la gente es muy sensible. Además, siempre lo he hecho sin mala intención.
   b) No, todo lo contrario.
   c) Habitualmente, no.

**3. Si estás en tu trabajo y algunos compañeros que están un poco alejados hablan de algo interesante, ¿qué haces?**
   a) Cuando se separan, me acerco a uno de ellos y le pregunto por lo que hablaban.
   b) Sigo a lo mío.
   c) Me uno al grupo y a la conversación.

**4. En tu relación de pareja, ¿crees que debes opinar de todo lo relacionado con el otro?**
   a) No, hay aspectos en los que sé que no debo entrar o prefiero no hacerlo.
   b) Sí, por supuesto.
   c) Puede, pero procuro enterarme de todo.

**(test adaptado de http://www.mujeractual.com/test/3.html)**

### INTERPRETACIÓN

**Entre 1-4 puntos.**
Eres una persona discreta y respetuosa con los demás. Te gusta ayudar a los otros, pero opinas sólo cuando te lo piden.

**Entre 5 y 9 puntos.**
Aunque alguna vez intervienes en temas que no son de tu interés, por lo general esta no es tu forma de actuar. Te gusta opinar sobre los asuntos de los demás, pero nunca juzgas a los otros.

**Entre 10 y 12 puntos.**
Eres un entrometido. Tu comportamiento puede molestar a otras personas. A la hora de analizar las situaciones de los demás, opinas a la ligera.

**Respuestas:**
1) a, 1 punto; b, 3 puntos; c, 2 puntos. 2) a, 3 puntos; b, 1 punto; c) 2 puntos. 3) a, 2 puntos; b, 1 punto; c, 3 puntos. 4) a, 1 punto, b, 3 puntos, c, 2 puntos.

**b.** Para saber cómo es una persona no hace falta hacer el test anterior. Emilio tiene algunos problemas y se los cuenta a Alfedo, un amigo. Escucha la conversación, ¿cómo es Alfredo?

a) Una persona discreta

b) Una persona entrometida

c) Una persona a la que no le gusta juzgar a los demás

**11.a.** La conversación no solo se establece con palabras. Relaciona la forma de mirar con la interpretación que cada mirada puede tener en una conversación entre españoles.

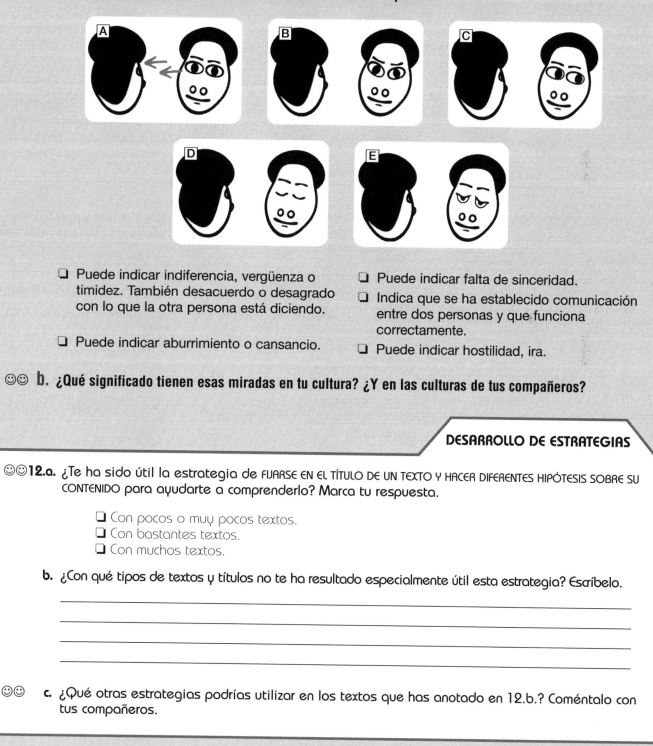

❏ Puede indicar indiferencia, vergüenza o timidez. También desacuerdo o desagrado con lo que la otra persona está diciendo.

❏ Puede indicar aburrimiento o cansancio.

❏ Puede indicar falta de sinceridad.

❏ Indica que se ha establecido comunicación entre dos personas y que funciona correctamente.

❏ Puede indicar hostilidad, ira.

☺☺ **b.** ¿Qué significado tienen esas miradas en tu cultura? ¿Y en las culturas de tus compañeros?

## DESARROLLO DE ESTRATEGIAS

☺☺**12.a.** ¿Te ha sido útil la estrategia de FIJARSE EN EL TÍTULO DE UN TEXTO Y HACER DIFERENTES HIPÓTESIS SOBRE SU CONTENIDO para ayudarte a comprenderlo? Marca tu respuesta.

❏ Con pocos o muy pocos textos.
❏ Con bastantes textos.
❏ Con muchos textos.

**b.** ¿Con qué tipos de textos y títulos no te ha resultado especialmente útil esta estrategia? Escríbelo.

_____

_____

_____

_____

☺☺ **c.** ¿Qué otras estrategias podrías utilizar en los textos que has anotado en 12.b.? Coméntalo con tus compañeros.

**1.a.** Piensa en un acontecimiento reciente que ha sido muy importante para ti (algo que has hecho, algo que ha ocurrido en tu familia...) y escríbelo.

_____

_____

_____

**b.** Imagínate que estás contándole ese acontecimiento a este amigo. Observa la expresión de su rostro. ¿Qué pensarías? ¿Harías o le dirías algo? Escríbelo

Pensaría que _____

_____

_____

**c.** Paul está contándole algo a una amiga que no parece muy interesada en sus palabras. Observa qué piensa Paul y qué decisión toma. ¿Coincide con lo que has escrito en 1.b.?

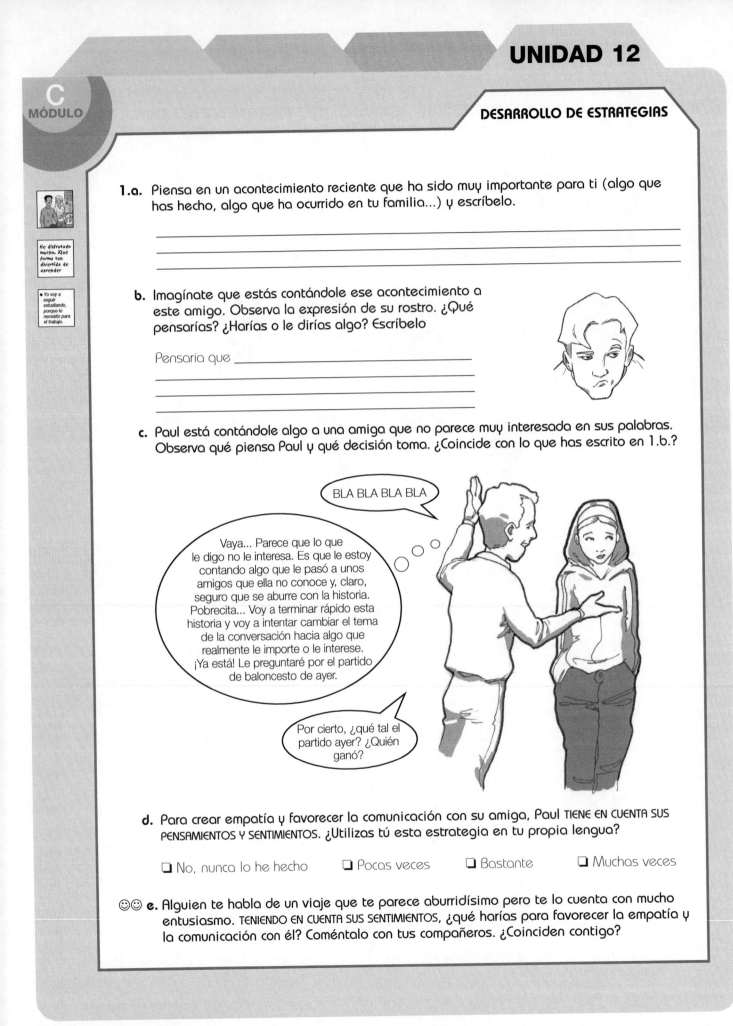

BLA BLA BLA BLA

Vaya... Parece que lo que le digo no le interesa. Es que le estoy contando algo que le pasó a unos amigos que ella no conoce y, claro, seguro que se aburre con la historia. Pobrecita... Voy a terminar rápido esta historia y voy a intentar cambiar el tema de la conversación hacia algo que realmente le importe o le interese. ¡Ya está! Le preguntaré por el partido de baloncesto de ayer.

Por cierto, ¿qué tal el partido ayer? ¿Quién ganó?

**d.** Para crear empatía y favorecer la comunicación con su amiga, Paul TIENE EN CUENTA SUS PENSAMIENTOS Y SENTIMIENTOS. ¿Utilizas tú esta estrategia en tu propia lengua?

❏ No, nunca lo he hecho      ❏ Pocas veces      ❏ Bastante      ❏ Muchas veces

☺☺ **e.** Alguien te habla de un viaje que te parece aburridísimo pero te lo cuenta con mucho entusiasmo. TENIENDO EN CUENTA SUS SENTIMIENTOS, ¿qué harías para favorecer la empatía y la comunicación con él? Coméntalo con tus compañeros. ¿Coinciden contigo?

**2.a. Observa esta imagen. ¿A qué situación puede corresponder?**

**b. En tu cultura, ¿qué otros gestos, acciones o comportamientos son esperables en una despedida? Escríbelo y después compara con tus compañeros.**

Después de hablar con tus compañeros, piensa en cómo podrías TENER EN CUENTA LOS PENSAMIENTOS Y SENTIMIENTOS de personas de otras culturas en situaciones de despedida. Luego, coméntalo con tus compañeros para ver si coinciden contigo.

*En mi cultura es habitual intercambiarse regalos en las despedidas y darse besos en la cara, pero no dos besos como los españoles, sino tres.*

En mi cultura es habitual en las despedidas _____

y también _____

Sin embargo, no es frecuente _____ .

Tampoco _____ .

**3. Elige una de estas tarjetas de despedida para las siguientes situaciones y escribe el texto que incluirías. Utiliza expresiones del recuadro.**

| ¡Cuídate mucho! | Escríbeme pronto. | Llámame. | Te voy a echar de menos. |
| ¡Suerte! | ¡A ver si nos vemos! | Espero que… | Te deseo lo mejor |

a) Para un familiar muy cercano que se va a otro país a vivir.

b) Para un compañero de la empresa que cambia de trabajo.

c) Para tu pareja que va a estar unos meses fuera.

d) Para el profesor con el que has hecho tu último curso de español y que no vas a tener en el próximo.

Después de escribir los textos de cada tarjeta, léelos TENIENDO EN CUENTA LOS PENSAMIENTOS Y SENTIMIENTOS de las personas que los leerían. ¿Crees que deberías cambiar algo?

1

2

3

4

CURSO 04

☺☺ **4.** **Piensa en una fórmula de despedida que se utilice en tu lengua para una situación concreta y tradúcela literalmente al español. Luego búscale su equivalente en español. Compara con tus compañeros.**

*En mi lengua, para despedirnos de alguien que se va a dormir utilizamos una expresión que traducida es "Que amanezcas con bien" y que equivale a "¡Hasta mañana!"*

En mi lengua para despedirnos cuando _____

decimos _____

que traducida es _____ y que

equivale a la expresión española _____ .

**5.a.** **Las despedidas producen sentimientos contradictorios. Escucha y responde a las siguientes preguntas.**

a) ¿Qué le da pena a la persona que habla? _____

_____

b) ¿Qué cosas le hacen ilusión? _____

_____

c) ¿Qué le resulta duro en su situación? _____

_____

d) ¿Cómo valora en general la experiencia de la que ha hablado? _____

_____

e) ¿Hay algo que le ha causado alguna decepción? _____

_____

**b.** **Y tú, ¿qué sentimientos experimentas ahora que el curso termina?**

| ☹ | ☺ |
|---|---|
| Estoy triste porque _____ .<br>Me da pena no _____ .<br>Me da pena que _____ . | Estoy encantado de que _____ .<br>Estoy contento por _____ .<br>Estoy feliz con la idea que _____ . |

**C.** **Expresa alguno de esos sentimientos al resto de la clase. ¿Hay alguien que tenga sentimientos similares a los tuyos?**

TEN EN CUENTA LOS PENSAMIENTOS Y SENTIMIENTOS de los demás y selecciona los sentimientos que puedan crear empatía con tus compañeros.
Después de hacer la actividad, ¿crees que se ha creado empatía en el grupo?

**6.a.** A veces recurrimos a comparaciones para valorar experiencias pasadas. Recuerda experiencias de las que puedes decir lo siguiente y explica por qué.

**A** "Fue como si estuviera en la luna"

**B** "Fue como si un tren me pasara por encima"

**C** "Fue como si chocaran los planetas"

**D** "Fue como si tuviera un nudo en el estómago"

**E** "Fue como si pudiera volar"

| ¿Qué ocurrió? | ¿Por qué lo valoras así? |
|---|---|
| a) | |
| b) | |
| c) | |
| d) | |
| e) | |

☺☺ **b.** Cuenta a tu compañero las anotaciones que has hecho en la tabla de 6.a. para ver si descubre qué frase has relacionado con esa experiencia.

**c.** Escribe cómo valoras las siguientes experiencias.

a) Una relación sentimental pasada de la que guardas buen/mal recuerdo: Fue como si _____

_____

b) Tu último trabajo: Fue como si _____

c) Tu último viaje: Fue como si _____

**7.a.** A veces, las palabras hablan por sí solas. Escribe palabras que asocias a las siguientes imágenes.

**b.** Escucha e interpreta las respuestas que has dado. ¿Qué dicen de ti las palabras que has apuntado en 7.a.?

**8.a.** Existen muchos chistes que recogen la percepción que tenemos los españoles acerca de cómo suenan otras lenguas. Lee los siguientes en voz alta y complétalos con las palabras dadas.

> - japonés
> - chino
> - árabe
> - alemán
> - zulú
> - italiano

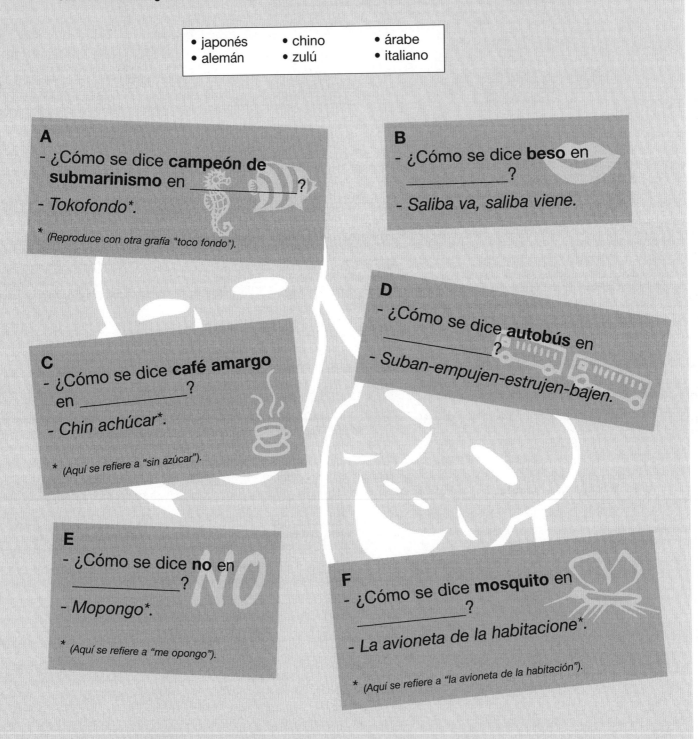

**A**

- ¿Cómo se dice **campeón de submarinismo** en _____?

- Tokofondo*.

* *(Reproduce con otra grafía "toco fondo").*

**B**

- ¿Cómo se dice **beso** en _____?

- Saliba va, saliba viene.

**C**

- ¿Cómo se dice **café amargo** en _____?

- Chin achúcar*.

* *(Aquí se refiere a "sin azúcar").*

**D**

- ¿Cómo se dice **autobús** en _____?

- Suban-empujen-estrujen-bajen.

**E**

- ¿Cómo se dice **no** en _____?

- Mopongo*.

* *(Aquí se refiere a "me opongo").*

**F**

- ¿Cómo se dice **mosquito** en _____?

- La avioneta de la habitacione*.

* *(Aquí se refiere a "la avioneta de la habitación").*

☺☺ **b.** ¿En tu país existen chistes similares sobre el español o sobre las lenguas de tus compañeros de clase? Cuéntaselos.

**9.a.** **Lee estos comentarios de estudiantes de español. ¿Con quién estás más de acuerdo? ¿A qué te suena a ti el español?**

---

**A**

"El español es un idioma suave, aunque no tanto como el francés o el italiano, que tienen música. Es un idioma bonito, aunque los españoles lo hablan muy alto. Los iraníes, no. Nosotros hablamos bajo."

*Masoud Harandi*

---

**B**

"El español que aprendimos en la universidad era como muy romántico, muy rítmico y eso no existe en España. De hecho, el que se habla en la calle no tiene nada que ver con el que aprendes en el laboratorio de idiomas. El español que se habla en Madrid suena como una ametralladora. Además, es una lengua muy masculina, se habla a gritos."

*Ashok Beera*

---

**C**

"Depende de la persona que lo hable. La lengua suena bastante suave, como melódico".

*Luba Ioussuopova*

---

**(Textos procedentes de http://cvc.cervantes.es/aula/luna)**

☺☺ **b.** **Compara tus respuestas con las del resto de compañeros.**

**c.** **¿Cómo te parece la pronunciación del español? Contesta a estas preguntas.**

a) ¿Qué sonidos crees que son más habituales en la pronunciación del español?

_____

b) ¿Te gustan esos sonidos "habituales" del español? ¿Tienes facilidad para pronunciarlos?

_____

c) ¿A qué te suena el español? ¿Ese sonido lo relacionas con algo positivo o negativo?

_____

d) ¿Esa asociación está relacionada con el hecho de que la pronunciación del español te resulte fácil o difícil?

_____

e) ¿Te gusta oírte hablar en español? ¿Te reconoces hablando en español?

_____

f) ¿Cómo crees que puedes mejorar tu pronunciación en español?

_____

**10.a.** Las palabras también evocan imágenes y recuerdos. ¿De qué o de quién te acuerdas cuando escuchas las siguientes palabras?

*Cuando oigo la palabra profesor me acuerdo siempre de un profesor que tuve ...*

Recuerdo (a) / Recuerdo que...    Lo asocio a... / Lo asocio a que...
Me acuerdo de... / Me acuerdo de que...

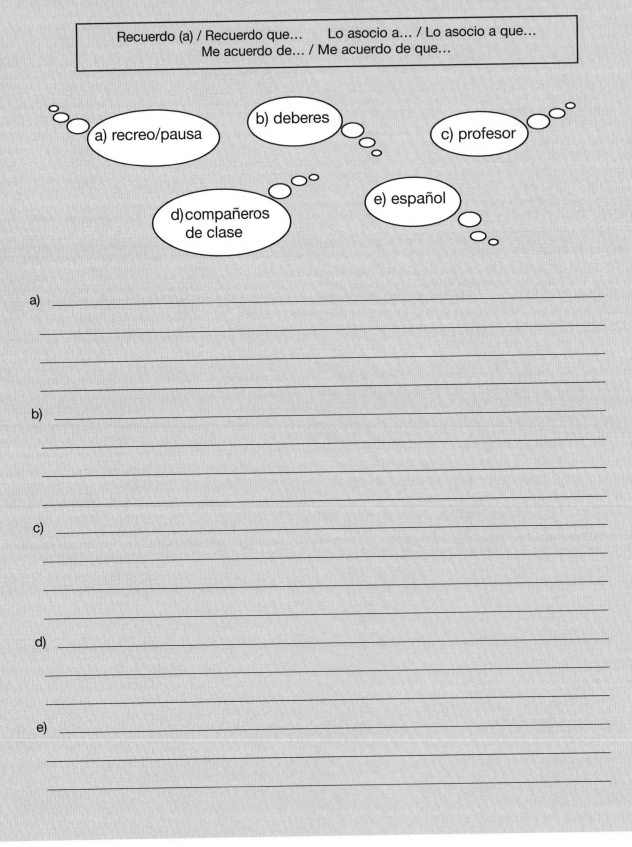

a) recreo/pausa

b) deberes

c) profesor

d) compañeros de clase

e) español

a) _____
_____
_____
_____

b) _____
_____
_____
_____

c) _____
_____
_____
_____

d) _____
_____
_____

e) _____
_____
_____

**b.** ¿Qué recuerdos y qué experiencias tienes después de haber trabajado con este cuaderno de actividades? Contesta a las siguientes preguntas.

## ¿QUÉ TE HA PARECIDO ESTE CUADERNO?

**a) Antes de trabajar con este cuaderno de actividades, ¿cómo te sentías respecto a las tareas de español complementarias para reforzar lo aprendido en clase?**

❏ Me sentía un poco desmotivado, ese tipo de actividades, aunque necesarias, me parecían aburridas.

❏ Un poco angustiado, porque apenas lograba sacar tiempo para hacer fuera de clase las actividades complementarias que mandaba el profesor.

❏ Muy motivado, me apetecía mucho reforzar lo aprendido para consolidar y avanzar en mi español.

❏ Otras: _____

**b) ¿Cómo te sientes ahora después de haber completado el trabajo del cuaderno a lo largo de estas 12 unidades?**

❏ Contento, porque creo que el trabajo con el cuaderno me ha ayudado a progresar mucho en mi español.

❏ Satisfecho, porque he trabajado mucho y ha valido la pena el tiempo dedicado.

❏ Encantado, porque además de útil para mi español, me han resultado muy interesantes las actividades.

❏ Otras: _____

**c) ¿Cómo te han parecido las actividades de este cuaderno?**

❏ motivadoras ❏ aburridas
❏ divertidas ❏ interesantes
❏ bien diseñadas ❏ mal diseñadas

**d) ¿Qué tipo de actividades te han gustado más?**

❏ las de gramática
❏ las de léxico
❏ las de pronunciación
❏ las de audio
❏ las de lectura de textos
❏ las de escritura
❏ las de cultura
❏ las que tienen el formato de pasatiempos
❏ las que tienen apoyo gráfico

**e) Escribe tres cosas que te habrían gustado del cuaderno de actividades, y que no se han contemplado en él.**

• Me habría gustado hacer más actividades de _____.

• Me habría gustado que las actividades _____.

• Me habría gustado _____.

**C.** Revisa tus respuestas en 10.b. y sintetiza en unas líneas cómo ha sido tu experiencia de trabajo con este cuaderno de actividades.

Para mí, trabajar con el cuaderno ha sido una experiencia _____ porque _____. Me ha resultado muy _____ especialmente porque _____. Lo que me ha resultado más (práctico / útil / interesante / novedoso) ha sido _____ porque _____. Lo que menos me ha gustado ha sido _____. He disfrutado con _____, pero me he aburrido más con _____. En general, _____.

Después de escribir sobre tu experiencia de trabajo con este cuaderno, imagina que le quieres contar lo mismo a sus autores TENIENDO EN CUENTA SUS PENSAMIENTOS Y SENTIMIENTOS. ¿Modificarías algo para crear empatía con los autores del cuaderno?

**11.a.** **¿En qué medida sientes que ha mejorado tu español en este curso? Contesta y apunta tus respuestas en la siguiente tabla. Después mira los resultados.**

| El sentimentómetro de tu español | | | |
|---|---|---|---|
| Entender cuando alguien habla en español. | | | |
| Hacerte entender y expresar lo que quieres comunicar en español. | | | |
| Participar e intervenir en una conversación o una interacción en español. | | | |
| Mejorar tu pronunciación. | | | |
| Comprender el sentido general de textos en español. | | | |
| Escribir en español textos sobre temas cotidianos. | | | |
| Mejorar tu conocimiento y tu uso de la gramática del español. | | | |
| Tener más riqueza de vocabulario. | | | |
| Tener más información acerca de las pautas culturales de los países de habla hispana. | | | |
| Sentir mayor interés por conocer otras culturas y contrastar ciertos aspectos del tratamiento de la vida diaria entre esas culturas y la propia. | | | |
| Sentir mayor interés por comprender otras culturas. | | | |
| Controlar los sentimientos o actitudes negativos (miedo, ansiedad, falta de autoestima, etc.) que pueden entorpecer el proceso de aprendizaje del español. | | | |
| Utilizar conscientemente estrategias para favorecer el proceso de aprendizaje del español. | | | |

**RESULTADOS**

Mayoría de respuestas...

1. Te sientes algo "depre" respecto a los progresos que has realizado en español.

2. Te sientes algo desanimado respecto a los progresos que has realizado en español.

3. Te sientes muy contento y eres muy optimista respecto a los progresos que has realizado en español.

**b. Lee los siguientes consejos. ¿Cuál corresponde a cada uno de los estados de ánimo de la actividad anterior? ¿Cuál es el consejo que corresponde a tu estado de ánimo respecto a tus progresos en español?**

> **A**
>
> Seguro que tienes una buena razón para aprender español y por eso lo estás haciendo. Apóyate en esa razón, porque ese debe ser tu motor de aprendizaje. No dejes que los árboles no te dejen ver el bosque. Fíjate en los pequeños avances que has realizado. Todos ellos hacen un gran progreso.

> **B**
>
> Solo está libre de fracasos el que no hace esfuerzos. Quien no comete errores y no se arriesga, no avanza ni progresa. Aprende a valorar los errores positivamente. Aprender una lengua es un proceso en el que hay espacio para muchos sentimientos. Los sentimientos que ahora experimentas durarán solo un momento. El español te puede dar muchas satisfacciones personales.

> **C**
>
> No pierdas la capacidad de seguir entusiasmado con el español. Esa ha sido una de las claves de tu éxito. Comparte tu satisfacción con los demás. Seguro que tú también aprendes de tus compañeros.

**12.** **¿Qué propósitos vas a hacerte para seguir aprendiendo español ahora que acaba el curso? Completa la lista.**

❑ Ver películas en español.  ❑ Viajar a un país de habla hispana para practicar el español.

❑ Leer libros en español.  ❑ Buscar un intercambio de conversación o una pareja que hable español.

❑ _____  ❑ _____

### DESARROLLO DE ESTRATEGIAS

**13.a.** ¿Crees que te ha sido útil la estrategia de TENER EN CUENTA LOS PENSAMIENTOS Y SENTIMIENTOS DE LOS DEMÁS? ¿Crees que puede ayudarte a crear empatía y a favorecer tu comunicación en español? Escribe tu respuesta.

❑ Esta estrategia no me ha sido muy útil porque _____
_____

❑ No estoy muy seguro de si me ha sido útil porque _____
_____

❑ Esta estrategia me ha sido útil porque _____
_____

☺☺ **b.** Comenta con tus compañeros tus reflexiones acerca de esta estrategia. ¿A ellos les ha ayudado?

> De todas las estrategias para aprender y usar el español con mayor eficacia, ¿cuáles son tus preferidas? ¿Alguno de tus compañeros coincide contigo?

### Actividad 2.a.

a) ¿Cómo te llamas?. b) ¿De dónde eres?. c) ¿Cuál es tu nacionalidad?. d) ¿En qué trabajas? / ¿A qué te dedicas?. e) ¿Qué te gusta hacer en tu tiempo libre? ¿Cuáles son tus aficiones favoritas?. f) ¿Por qué estudias español?. g) ¿Qué te gusta hacer en clase?. h) En la clase, ¿qué prefieres: trabajar en grupo o individualmente?

### Actividad 3.a.

b) Quizás / A lo mejor. c) Quizás / A lo mejor. d) Puede ser. e) Seguro / Frida Khalo.

### Actividad 3.b.

La hipótesis falsa es la c. 1929 y 1941 son las dos fechas en las que Frida Khalo se casó con Diego Rivera.

### Actividad 4.a.

Divertido / aburrido; trabajador / vago; simpático / antipático; buen conversador / mal conversador; agradable / desagradable; cercano / distante; con sentido del humor / sin sentido del humor.

### Actividad 4.b.

### Actividad 4.c.

sincero / mentiroso; sensible / insensible; generoso / tacaño; optimista / pesimista; tranquilo / intranquilo; fuerte / débil; responsable / irresponsable; inteligente / torpe; paciente / impaciente; sensato / insensato.

### Actividad 5.a.

Respuesta modelo: a) Mi familia dice de mí que soy una persona extrovertida y que siempre me estoy riendo. b) Mis amigos dicen que soy una persona divertida. c) Mi pareja dice de mí que soy una persona muy generosa.

### Actividad 6.a.

a) Lectura: prensa, periódicos, libros, revistas. b) Música: CD, radio, conciertos, discos. c) Internet: juegos, sitios web, chats, correo electrónico. d) Cine y TV: películas, series de TV, cineforum, cortometraje. e) Deportes: gimnasio, baloncesto, golf, fútbol.

### Actividad 6.b.

Respuesta modelo: a) Lectura: novela. b) Música: cinta de casete. c) Internet: foros. d) Cine y TV: informativo. e) Deportes: natación.

### Actividad 7.a.

a) Alejando: rojo, colores alegres, carne, pasta y bebidas frías (cerveza). b) Maica: amarillo, colores calientes, pescado, verdura, bebidas frías (no le gusta ni el café ni el té). c) Aurora: colores cálidos, carne, pasta y verdura por igual, bebidas calientes.

### Actividad 7.b.

Los tres: colores cálidos. Alejandro y Maica: bebidas frías. Alejandro y Aurora: carne y pasta. Maica y Aurora: verdura.

### Actividad 7.c.

a) los mismos / el mismo. b) las mismas. c) la misma.

### Actividad 8.b.

Respuesta modelo: El test dice que soy una persona responsable, tranquila, cercana a la gente, fuerte, segura de mí misma y con muchas inquietudes.

### Actividad 9.a.

a) No le gusta madrugar los lunes. b) No le gusta cocinar. c) Le gusta el mueble de madera. d) Le gustan las películas de dibujos animados.

### Actividad 10.b.

a) sociable; b) segura de sí misma; c) introvertida; d) buen conversador; e) trabajador.

### Actividad 11.a.

La mayoría; piensa; algunos; señalan; algunos / otros; consideran.

### Actividad 12.a.

Respuesta modelo: a) Suenan como unos palos, pero son redondas. b) Es como el té, pero más amargo. c) Es un pájaro y se parece a un buitre. d) Son como la Torre de Pisa, pero más modernas y son dos. e) Son como hombres de piedra clavados en la tierra. f) Se parece a un cigarrillo, pero es mucho más grueso. g) Se parece a una manta, pero abierta. h) Es como un palo en la tierra, pero con pinchos.

### Actividad 13.b.

País: b) Argentina; c) Perú; d) España; e) Chile; f) Cuba; g) Colombia; h) México. Nombre: a) unas castañuelas; b) mate; c) un cóndor; d) las torres Kio de Madrid; e) los "Moais" de la isla de Pascua en Chile; f) un puro; g) un poncho; h) un cactus.

### Actividad 1.b.

Paul hace otra cosa: busca oportunidades para practicar las nuevas palabras.

### Actividad 2.

a) Nombre: Prensa. Secciones: Economía, Deporte, Actualidad, etcétera. Acciones relacionadas: hojear el periódico, leer un artículo, consultar la cartelera. b) Nombre: Radio. Tipos de programa: noticias, música, deporte, etcétera. Acciones relacionadas: escuchar la radio, oír / escuchar música.
c) Nombre: Televisión. Tipos de programa: serie, concurso, telediario, reality show, debate. Acciones relacionadas: ver la televisión, hacer zapping, consultar el teletexto. d) Nombre: Internet. Servicios de la Red: página web, correo electrónico, foro de debate, chat. Acciones relacionadas: buscar en la Red / en Internet, entrar en la Red / en Internet, navegar por la Red, consultar el correo electrónico / enviar o recibir un correo electrónico, participar en un foro. e) Nombre: Libros. Géneros: biografía, cuento. Acciones relacionadas: leer una novela, hojear las páginas de un libro.

### Actividad 3.c.

Respuesta modelo: Prefiero la prensa para informarme porque me resulta mucho más veraz y seria que otros medios. Además, también la prefiero porque es bastante barata y porque me parece muy accesible. No me gusta la televisión porque es muy comercial y porque no cuida su programación.

### Actividad 4.a.

Oyente 1: c; oyente 2: d; oyente 3: a.

### Actividad 4.b.

Respuesta modelo: b) No estoy en absoluto de acuerdo; es muy difícil valorar a qué se debe los buenos resultados en el aprendizaje. Probablemente los niños que ven solo programas educativos crecen en un entorno que puede favorecer su aprendizaje. c) Estoy completamente de acuerdo. Los niños necesitan desarrollar su psicomotricidad y la televisión es una actividad muy pasiva. d) Estoy de acuerdo, ver demasiado la televisión está asociado a problemas de visión. e) Estoy de acuerdo en parte, porque creo que hay otros muchos factores que ayudan a desarrollar comportamientos agresivos.

### Actividad 5.a.

Respuesta modelo: Sí pueden ver: documentales, retransmisiones deportivas, programas musicales, dibujos animados, programas para niños. Con especial supervisión de adultos: películas, series, concursos, debates, informativos, entrevistas. No deben ver: telenovelas, reality shows.

### Actividad 6.

Respuesta modelo: b) Suelo salir a pasear por la ciudad y aprovechar que no hay mucha gente ni tráfico. c) Suelo ponerme a leer un rato. d) Suelo pensar en un plan alternativo. e) Suelo poner una película de vídeo.

### Actividad 7.a.

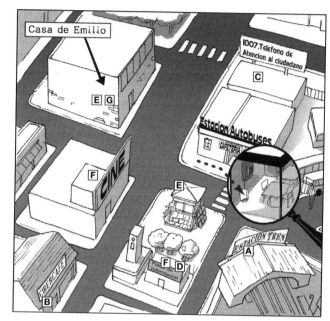

### Actividad 7.b.

a) estación de autobuses; b) cibercafé; c) panel informativo; d) estación de autobuses; e) cafetería de la estación de autobuses; f) casa de tu amigo; g) quiosco de prensa; h) cine; i) oficina de turismo; j) casa de tu amigo.

### Actividad 8.

a) Palabra o palabras con las que se menciona...; título. b) Es la persona que inmediatamente dice...; director. c) Es el texto que, en teoría se aprenden los actores, pero con el que...; guión. d) Es el género de las películas en las que...; drama. e) Son las personas que...; actores. f) Es la palabra con la que...; peliculón. g) Película por capítulos o episodio que dura hasta el momento (en) que...; serie. h) Es el resumen de las cosas que pasan...; argumento. i) Es el género de aquellas películas en las que pagas por reír, pero en las que luego...; comedia.

### Actividad 9.

a) terror; b) ciencia ficción; c) dibujos animados; d) comedia; e) drama; f) aventuras; g) romántica; h) policíaca.

### Actividad 10.

a) estupenda; b) buena; c) genial / peliculón; d) rollo; e) no está mal; f) una obra maestra.

### Actividad 11.a.

a) trama: ● ○; b) guión ○ ●; c) cámara ● ○ ○;
d) musical ○ ○ ●; e) película ○ ● ○ ○; f) documental ○ ○ ○ ●;
g) largometraje ○ ○ ○ ● ○; e) telenovela ○ ○ ○ ● ○.

### Actividad 11.c.

a) Agudas: guión, musical, documental. b) Llanas: trama, largometraje, telenovela. c) Esdrújulas: cámara, película.

## UNIDAD ③

### Actividad 1.c.

Recuerda una situación similar donde todo fue bien; intenta tranquilizarse; se da ánimos.

### Actividad 2.a.

b) Creo que se acuerda de cuando estaba en la universidad. c) Supongo que se acuerda de cuando estudiaba en Inglaterra. d) Seguramente se acuerda de cuando estaba embarazada.

### Actividad 2.b.

Respuesta modelo: b) Recuerdo que estaba estudiando en la universidad. c) Recuerdo que en 1998 estaba estudiando en el extranjero. d) Recuerdo que estaba preparando mi tesis doctoral.

### Actividad 2.c.

Respuesta modelo: b) Al sabor del café que tomaba para no dormirme en las clases de primera hora de la mañana. c) Al sonido del teléfono de cuando me llamaban mis amigos o mi familia. d) Al sonido del teclado del ordenador.

### Actividad 3.a.

…NO suspende un examen, otros no saben evaluar sus progresos. Un alumno, siempre aprueba, pero otros no saben verlo. … NO corre por los pasillos del colegio, hace pruebas de velocidad.
…NO se duerme durante las clases, reflexiona en silencio y con los ojos cerrados. …NO habla durante la clase con sus compañeros, intercambia impresiones. …NO copia en un examen, contrasta resultados para verificarlos. … NO pinta en las mesas, practica la expresión artística. … NO llega tarde a clase, los demás se adelantan. … NO se salta las clases, otras personas le retienen en otros lugares. … NO tira tizas al suelo o a otros compañeros, pone en práctica la ley de la gravedad que ha aprendido en clase de física.

### Actividad 3.b.

Respuesta modelo: b) No, no solía dormirse durante las explicaciones del profesor, eso no podía hacerse en mi colegio. c) Sí, solía saltarme las clases en la asignatura de latín. d) No, no solía pintar en las mesas de clase, pero a veces escribía algún mensaje para alguien especial. e) Sí, solía hablar con mi compañera de pupitre durante las explicaciones del profesor. f) Sí, solía sacar buenas notas en el colegio, era buena estudiante. / No solía suspender los exámenes, normalmente los aprobaba.

### Actividad 4.a.

a) el empollón; b) el vago; c) el pelota; d) el que se salta las clases; e) el tímido.

### Actividad 4.b.

El empollón: a, b, h. El pelota: d, g, m. El tímido: e, j, k. El vago: c, i, l. El que se salta las clases: f, ll, n.

### Actividad 5.

Respuesta modelo: Antes, cuando era pequeño, el día de la vuelta al colegio me sentía muy contento y muy ilusionado. Estaba muy feliz porque iba a ver de nuevo a mis compañeros de clase, y porque me hacía ilusión estrenar los libros nuevos. Pero estaba triste porque se acababa el verano. Ahora, cuando vuelvo al trabajo después de las vacaciones, es diferente porque me siento bien y porque no tengo muchos problemas para volver a coger la rutina de todos los días.

### Actividad 6.a.

A veces estamos tan acostumbrados al confort de la tecnología moderna que nos cuesta trabajo imaginarnos cómo vivíamos antes sin ella. Ahora hacemos la compra por Internet, contamos con servicios de planchado a domicilio, tenemos lavadoras y lavavajillas automáticos. Internet y la domótica nos hablan ya de casas inteligentes, de lavadoras que hablan, de cocinas que cocinan solas… Gracias a los avances tecnológicos y sobre todo a Internet ahora no dedicamos demasiado tiempo a tareas que en otras épocas costaban mucho esfuerzo y suponían hasta cierto peligro. Uno de los ámbitos donde más evidente se hizo el beneficio de los adelantos técnicos y científicos fue en el espacio doméstico. ¿Has pensado cómo era la vida apenas unos años atrás sin algunos instrumentos que hoy se usan cotidianamente en muchos hogares? Los frigoríficos, las aspiradoras, las planchas, los tostadores y demás electrodomésticos no empezaron a entrar en las casas hasta los años treinta del siglo XX. Entonces las labores domésticas se realizaban con aparatos que funcionaban mecánicamente o con vapor.
El uso de electrodomésticos cambió la vida práctica de muchas familias, (especialmente de las mujeres) que pudieron sustituir aquellos viejos cacharros que se utilizaban en sus casas cuando eran niñas por modernos electrodomésticos.

### Actividad 6.B.

Respuesta modelo: Gracias a la introducción de la tecnología en los hogares, la vida se simplificó bastante y se redujeron los accidentes domésticos. Por otra parte, también hay que señalar que, debido a la desaparición de las cocinas de carbón, algunos bosques pudieron recuperarse.

### Actividad 7.a.

b)

### Actividad 7.b.

Respuesta modelo: b) Vi la película "Tierra" de Julio Medem. Estaba encantada en el cine. c) Ayer, trabajé todo el día. Estaba muy concentrada y apenas me enteré de que pasaba el día. d) En la facultad, la semana de los exámenes finales de quinto. Estaba muy estresada. e) El primer año de la universidad. Estaba encantada y todo el día de fiesta en fiesta. f) 2003. Estaba muy triste por los acontecimientos familiares.

### Actividad 8.a.

XIII: A finales del siglo XIII se inauguró oficialmente la historia del reloj mecánico. 1505: Meter Henlein logró / consiguió construir relojes mecánicos de bolsillo. XVI: Los relojes entraron en las casas de la alta sociedad y transformaron el concepto de decoración de la época. XVII: El invento del reloj de péndulo revolucionó el mundo del reloj. Supuso claramente un antes y un después. 1812: En ese año surgieron los primeros relojes de pulsera. Con el tiempo sustituyeron a los relojes de bolsillo. Los relojes de pulsera eléctricos aparecieron en 1957. 1967: La aparición de los relojes atómicos dio un giro de 90º al mundo del reloj. Su precisión acabó para siempre con los errores de medición del tiempo.

### Actividad 8.b.

1: XIII; 2: 1967; 3: 1505; 4:XVI; 5: 1812; 6: XVII.

### Actividad 8.c.

a) 1967; b) XIII; c) XVI; d) 1812; e) XVII; f) 1505.

## UNIDAD 4

### Actividad 2.a.

¡Feliz cumpleaños!: tarjeta a. ¡Felices fiestas!: tarjeta c. ¡Que paséis un día muy feliz!: tarjeta b. ¡Me alegro mucho por ti / por vosotros!: tarjetas b, d y e. ¡Felicidades!: tarjetas a, b, d y e. ¡Feliz Navidad!: tarjeta c. ¡Qué seáis muy felices!: tarjeta b. ¡Que cumplas muchos más!: tarjeta a.

### Actividad 2.b.

Respuesta modelo: a) Pedro: ¡Feliz cumpleaños! Te quiere tu amiga Paula. b) Miguel y Teresa: ¡Me alegro mucho por vosotros! ¡Enhorabuena! ¡Qué seáis muy felices ese día… y el resto! María. c) Querida familia: ¡Feliz Navidad! Este año no puedo estar físicamente con vosotros, pero sí con el corazón. Os quiero. Alberto. d) Rocío: ¡Enhorabuena! Te lo mereces… Los mejores de los éxitos para la vida profesional que ahora vas a empezar. Tus amigos, Pedro y Lucía. e) ¡Enhorabuena! ¡Seguro que es un bebé riquísimo! Tengo muchas ganas de conocerlo. Abrazos, Pepe y Marisa.

### Actividad 4.a.

Mario: El 31 de diciembre, Nochevieja; se reúne para cenar con su familia y a las 12 h. de la noche recibe el año nuevo tomando las uvas. Gloria: El 1 de noviembre, el día de Halloween. Se queda en casa, hace un pastel y cuando llegan los niños a su casa les da un trozo.

### Actividad 4.b.

Respuesta modelo: a) El 31 de diciembre suelo reunirme con mis amigos en casa de alguno de nosotros. b) El 1 de noviembre en mi país es el día de todos los santos. La gente suele ir a los cementerios, pero yo no suelo hacer nada especial.

### Actividad 5.a.

Respuesta modelo:
Estimado antiguo alumno de Carabela Internacional:
Con motivo del quinto aniversario de la escuela, Carabela Internacional tiene el placer de invitarte a una fiesta en la que van a reunirse todas las personas que han contribuido durante estos años a realizar nuestro proyecto. Vamos a reunirnos todos: los alumnos actuales y los profesores y otros miembros de la escuela, pero también queremos que estéis los antiguos alumnos porque sin vosotros no podríamos ahora estar aquí. La fiesta tendrá lugar en la misma escuela, el día 15 de julio a las 22:00 h.
Nos encantará verte de nuevo.
Asunción López
Directora de Carabela Internacional
Se ruega confirmación

### Actividad 5.b.

Respuesta modelo: a) Antes de la fiesta: organizar y mandar las invitaciones, encargarse de decorar la escuela, encargarse de avisar a los vecinos por si hay ruido, preparar el discurso (directora de la escuela), preparar la comida y la bebida para la fiesta. b) Durante la fiesta: recibir a la gente, servir la comida y la bebida, encargarse de la música, dar un discurso. c) Después de la fiesta: limpiar y recoger la escuela, cerrar la escuela después de la fiesta.

### Actividad 6.a.

a - e; b - f; d - c.

### Actividad 6.b.

Respuesta modelo:
a) ●¿Por qué no te vienes a la fiesta que va a hacer Juan en su casa? Estaremos todos, Alicia y Paco, Marga y Luis, Alberto, Marisa.
▲Es que tengo que estudiar. El viernes próximo tengo un examen de matemáticas y lo llevo muy mal. No voy a poder, de verdad.
b) ●¿Te apetece este fin de semana ir al cine a ver la nueva película de Amenábar? Me han dicho que es buenísima.
▲Sí, es un peliculón, pero es que ya la he visto. ¿Por qué no buscamos otra?
●Vale.
c) ●Te invito a cenar esta noche fuera de casa. ¿Qué te parece? ¿Te apetece? Podemos ir a ese restaurante que te gustó tanto la última vez.
▲Perfecto. Me parece buena idea. Así no cocinamos.

### Actividad 7.

a) 4; b) 1; c) 2; d) 3.

### Actividad 8.

a) No sé… No sé si voy a poder ir porque este fin de semana tengo que trabajar mucho. b) Estupendo, me encanta la comida árabe. c) Genial, me apetece un montón ir a ver una ópera. d) No sé si voy a poder porque he quedado ya. e) Me gustaría, pero mañana tengo que estudiar.

### Actividad 9.

Canapés, aceitunas, patatas fritas, tortilla de patata, pasteles, cerveza, botella de champán, copa de vino, gorritos de papel, globos, confeti, matasuegras, zapatos de tacón, disfraz, corbata, traje.

### Actividad 10.a.

Palabras agudas: canapés, champán, papel, tacón, disfraz. Palabras llanas: aceitunas, patatas, fritas, tortilla, pasteles, cerveza, botella, copa, vino, gorritos, globos, confeti, matasuegras, zapatos, corbata, traje.

### Actividad 10.c.

Palabras agudas: llevan tilde cuando acaban en –n, -s o vocal

### Actividad 9.

a) falso; b) verdadero; c) verdadero.

### Actividad 10.

a) 5; b) 3; c) 2; d) 1; e) 4.

(reloj, canción). Palabras llanas: llevan tilde cuando no acaban en –n, -s o vocal (azúcar, examen).

### Actividad 11.a.

a) pescado; b) ensalada; c) tarta; d) fruta; e) pollo; f) plato de verdura; g) sándwich; h) bocadillo.

Actividad 11.b. Primeros platos: b, f. Segundos platos: e, a. Postres: c, d. Bocadillos y comida rápida: h, g.

### Actividad 12.

Para Miguel elijo de primero las judías verdes con tomate porque le gusta mucho la verdura y porque no le gusta nada el queso y porque no le gustan las sopas. De segundo elijo la merluza con ensalada porque le gusta el pescado y porque no le gusta la carne y porque no le gusta nada el pollo. De postre elijo la tarta de chocolate porque le encanta el dulce y porque no le gusta la fruta.

### Actividad 13.a.

Gregorio Núñez: de primero, ensalada; de segundo, pescado al horno; de postre, nada; toma té. Catherina Nieto: de primero, patatas con chorizo; de segundo, filete de ternera; de postre, tarta; toma café.

### Actividad 13.b.

Gregorio Núñez: "comedor sabio"; Catherina Nieto: "comedor desordenado".

### Actividad 14.

a) ¡Está muy amargo! b) ¡Está muy salada! c) ¡Está muy soso! d) ¡Está demasiado dulce! e) ¡Está muy rico!

### Actividad 15.a.

b) Se coge un trozo de pan, se corta por la mitad, se coge por ejemplo chorizo o salchichón (u otro ingrediente similar) y se pone en el pan. c) Se trocean los ingredientes, carne, bacon, queso, etc. y se ponen sobre la base de la pizza y se echa mozzarella y se pone al horno.

### Actividad 15.b.

a) EEUU; b) España; c) Italia.

## UNIDAD ⑤

### Actividad 2.a.

a) Les gusta montar en bicicleta. b) Les gusta el cantante Luis Miguel. c) No les gusta el racismo.

### Actividad 2.b.

a) identificación; b) diversión; c) orientación; d) apoyo; e) colaboración; f) convivencia; g) compañía; h) comprensión.

### Actividad 2.c.

Respuesta modelo: c) Grupo de orientación laboral; d) grupo para superar una adicción; e) una asociación de vecinos; f) asociación de ayuda al inmigrante; g) grupo de amigos; h) una asociación de personas de la tercera edad; i) grupo de amigos.

### Actividad 3.a.

a) Resolutivo: buen comunicador, extrovertido, simpático, sociable, entusiasta. b) Implementador: constante, trabajador, maniáticos, detallista, organizado. c) Cohesionador: amable, comprensivo, maduro, flexible, colaborador. d) Creativo: innovador, original, individualista, introvertido, supersticioso.

### Actividad 3.b.

a) cohesionador; b) creativo; c) implementador; d) resolutivo.

### Actividad 4.a.

a) hables; b) asusta; c)me; d) inquieta; e) que; f) sea;

g) molesta; h) estemos; i) no; j) soporta; k) que; l) habléis; m) estoy harto de que; n) escriban.

### Actividad 5.b.

a) falso; b) falso; c) verdadero.

### Actividad 6.b.

a) 4; b) 5; c) 3; d) 1; e) 2.

### Actividad 7.a.

a) os gustan, os eche; b) trabajar; c) te molesta, sea, cuide, os aburre; d) te gustan, te molestan; e) hablar, mande; f) exijan; g) soporta, vaya; h) discutan; i) le encantan, deje; j) gusta, les gustan; k) consigan; l) haya.

### Actividad 8.a.

a) sábado; b) matemáticas; c) médico; d) teléfono; e) relámpago; f) música.

### Actividad 9.

Respuestas a y f; son palabras esdrújulas que llevan tilde siempre.

### Actividad 10.

a) Convivir con gentes de otras culturas. b) Tener que estudiar y preparar los exámenes. c) Su primer fracaso sentimental. d) Ir al instituto.

## UNIDAD ⑥

### Actividad 2.a.

Infancia: b, e, p, r. Adolescencia: c, d, j, l, n, r. Juventud: g, h, k, m, q. Madurez: a, k, m, s. Vejez: f, i, o, t.

### Actividad 2.b.

1) Ser un anciano con el pelo blanco. 2) Tener arrugas. 3) Tener el pelo oscuro. 4) Hacerse un hombre joven y fuerte. 5) Emigrar a buscar un futuro. 6) Ser un niño.

### Actividad 2.c.

En San Andrés de Teixido cuentan que la vida de Xurxo ha sido muy curiosa. Primero fue un anciano que tenía el pelo blanco y muchas arrugas en todo el cuerpo. Luego rejuveneció: su pelo se volvió oscuro, sus arrugas desaparecieron y se hizo un hombre joven y fuerte. Entonces decidió emigrar a otra tierra para buscar un trabajo y un futuro mejor. Y por último, cuando se hizo niño, regresó a San Andrés de Teixido, a vivir sus últimos años.

### Actividad 4. a.

¡Achís! b). ¡Chis! c). Clic d). ¡Paf! e). Tic-tac f). ¡Ay! g). ¡Guau, guau!

### Actividad 5.

La semana pasada estaba un poco triste porque había perdido mi trabajo. Me fui a un parque y mientras me comía un bocadillo, me puse a leer el periódico y entonces fue cuando vi el anuncio de trabajo. Era lo que yo buscaba. Fui a la oficina y llamé a la puerta. Les expliqué que iba por lo del anuncio. Les dije que el anuncio respondía a mi perfil. Y entonces me llevaron hasta el despacho del director de personal. Llamé a la puerta y me recibió. No le gusté mucho al principio. Lo primero que me dijo fue: "El aspirante debe saber escribir a máquina". Y fui y le demostré que sabía escribir a máquina. Y cuando estaba terminando de escribir a máquina, me dijo: "El aspirante debe tener conocimientos de informática". Y también entonces yo fui y le demostré que tenía conocimientos de informática. Y por último me dijo: "El aspirante debe saber hablar idiomas." Y también le demostré que sabía hablar idiomas. Y bueno al final… no me dieron el trabajo y me echaron de la oficina. ¡No entiendo cómo dicen que hay igualdad de oportunidades! ¡Qué vida más perra!

### Actividad 6.a.

b) había tenido / había ido; c) habían entrado; d) había ido; e) se había enfadado; f) había contado / había muerto.

### Actividad 6.b.

Respuesta modelo: Hipótesis menos seguras: A lo mejor

había ocurrido un suceso paranormal; tall vez su perro le había mordido; quizás su mujer lo había abandonado. Hipótesis más seguras: Me imagino que alguien estaba muy enfadado con él; seguro que había muerto por causas naturales; probablemente alguien había entrado en su casa a robar y le había matado.

### Actividad 6.c.

a) No. En el cadáver hay señales en su cuello. b) No, su mujer estaba de viaje. c) No, la puerta no estaba forzada y no había desaparecido nada. d) No, las marcas en el cuello no eran de mordiscos. e) Sí. La mano de Ramiro López vino del más allá para matar al doctor.

### Actividad 7.a.

Respuesta modelo: b) Estaba leyendo mientras iba en el autobús. c) Estaba viendo la tele, mientras hablaba por teléfono con mi hermano. d) Estaba viendo los mensajes de mi teléfono móvil, mientras escuchaba al ponente. e) Estaba escuchando música, mientras navegaba por Internet.

### Actividad 8.a.

a) No es adecuado, porque expresa justo lo contrario del contenido del texto. b) No es apropiado porque no es exacto. En el texto no dice que Internet y los móviles sean malos como medios de comunicación. Lo que se dice es que su abuso es perjudicial y que la obsesión por usarlos puede ser considerada una enfermedad. c) Es el más adecuado, porque resume perfectamente el contenido del texto.

### Actividad 8.b.

a) Realizar varias tareas al mismo tiempo.

### Actividad 9.a.

Los intrusos son: ovni, murciélago, tranquilidad y espiritismo.

## UNIDAD ⑦

### Actividad 2.a.

Modelo de respuesta: a) La figura a tiene la misma forma que los cristales de mis gafas. Mis gafas son cuadradas, marrones; son de metal y de pasta. Las uso para ver. b) Un CD-ROM. Es redondo, de color gris y de plástico. Lo uso para grabar los archivos de mi ordenador que necesito llevar a otra parte y para hacer copias de seguridad de mi ordenador. c) Un bolso que tengo. Tiene forma triangular, de color negro y de piel. Lo uso para ir de fiesta porque tiene un diseño muy actual. d) El espejo retrovisor de mi coche. Tiene forma rectangular; es de cristal y de plástico de color negro. Lo uso para conducir. e) El bote donde coloco mis bolígrafos en la oficina. Tiene forma cilíndrica, es de barro y de color marrón. Lo uso para tener ordenados los bolígrafos. f) El espejo de mi habitación. Tiene forma ovalada, es de cristal y madera. Lo uso para arreglarme por las mañanas.

### Actividad 3.a.

a) mesa de comedor; b) plato de comida; c) sándwich; d) horno; e) lata de galletas; f) melón.

### Actividad 5.a.

a) Los sillones de piel pueden servir para crear un clima de

fiesta y de alegría. Los sillones de tela (de lino o algodón) sirven para favorecer la creatividad. b) Los muebles de formas rectas y puntiagudas favorecen la hostilidad. Sin embargo, los muebles de formas redondeadas sirven para mantener la casa en armonía. c) Los objetos de madera se pueden utilizar para generar creatividad, y actividad. d) Las velas, las lámparas, los objetos de iluminación se usan para favorecer las relaciones sociales y la expresividad. e) Los objetos de barro se pueden emplear para crear un ambiente de estabilidad y de seguridad en la casa. f) Los objetos de metal se usan para inspirar disciplina y tenacidad.

### Actividad 5.b.

b) Para pasártelo mejor en las fiestas de tu casa, podrías poner un sillón de piel en el salón de tu casa. c) Para no discutir con tus padres, podrías comer con ellos en una mesa redonda u ovalada. d) Para poder trabajar en el despacho de tu casa, podrías decorarlo con objetos de metal. e) Para relajarte y no ser tan ambicioso, podrías quitar de tu casa algunos objetos de decoración de madera. f) Para llevarte mejor con tu compañero de piso podrías decorar tu casa con objetos de formas curvas.

## Actividad 6.a.

a) electrodomésticos, marca Babor, serie V, con un 20% sobre el precio del catálogo, contacto con todohogar@ventas. Com; b) televisores, marca Visionum 45j, cambiar por televisores antiguos más 100 euros, contacto con todohogar@venta.com; c) CD's de historia de la música, de la editorial signo XXI, regalo, contacto con togohogar@venta.com

## Actividad 6.b.

Respuesta modelo: a) Se venden electrodomésticos de la marca Babor modelo 110 con un 10% sobre el precio del catálogo. Empresa Todohogar (todohogar@ventas.com). b) Se cambian televisores de la marca visionum, modelo 45j por televisores usados y 100 euros. Empresa Todohogar (todohogar@ventas.com). c) Se regalan CD's de historia de la música de la editorial signo XXI. Empresa Todohogar (todohogar@ventas.com).

## Actividad 7.

Respuesta modelo: a) Busco un aparato que haga automáticamente los deberes de español. b) Busco un invento que me ayude a aprender en dos horas inglés, francés, alemán y chino. c) Busco un medio de transporte con el que pueda ir desde Madrid a Nueva York en dos horas. d) Busco un aparato que me quite el trabajo más aburrido de la oficina. e) Busco un electrodoméstico que haga todas las tareas de la casa sin hacer ruido. f) Busco un invento con el que pueda fabricar todo el dinero que me venga en gana.

## Actividad 8.

Producto de belleza: estimulante, natural, adelgazante, afrodisíaco, antiarrugas, reductor, regenerador, vigorizante, hidratante. Producto de alimentación: dietético, nutritivo, equilibrado, saludable, natural, energético, afrodisíaco, digestivo, ligero. Teléfono móvil: ligero, cómodo, rápido, práctico, elegante, fácil de manejar, dinámico, interactivo, de última generación. Coche: rápido, práctico, elegante, seguro, climatizado, cómodo, dinámico, de última generación. Bebida: energética, estimulante, natural, saludable, instantánea, equilibrada, afrodisíaca, dietética, refrescante, vigorizante.

## Actividad 9.a.

Se repite el sonido de la s.

## Actividad 9.b.

a) Con la s se imita el ruido que hacen las aves o los aviones al volar. b) La s evoca la tranquilidad, asociada a la seguridad de usar una marca de agua mineral de garantía.

## Actividad 10.a.

a) gran tamaño; b) seguridad de la garantía; c) pureza y salud; d) resultados obtenidos en su uso; e) innovación a buen precio.

## Actividad 10.b.

Respuesta modelo: a) Nueva cualidad para la publicidad de la hamburguesa: dietética. Eslogan: "Diet Burguer: un nuevo concepto de comida rápida. Para tu salud y tu figura." b) Nueva cualidad para la publicidad del coche: elegancia-elegante. Eslogan: "Danae: La elegancia de ser el primero." c) Nueva cualidad para la publicidad del zumo: producto energético. Eslogan: "Zumo Solán: "La energía de la naturaleza en una botella." d) Nueva cualidad para la publicidad del jabón: producto reductor. Eslogan: "Maralgas: esculpe tu piel como una ola." d) Nueva cualidad para la publicidad del teléfono móvil: fácil de usar. Eslogan: "Móvil XVP2010: No hay que esperar a ser un bebé del 2010 para saber usarlo."

## Actividad 11.a.

a) El producto aparece en la foto mucho más grande de lo que es en realidad. b) En la letra pequeña se lee que el coche no está garantizado para toda la vida como dice el anuncio, sino sólo para la vida útil del vehículo, que es algo que establece la marca. c) El eslogan no dice la verdad: el zumo sólo contiene naranja en el 20% de su composición. d) El anuncio promete resultados imposibles de conseguir. Exagera los beneficios del producto. e) Las 150 horas de llamadas gratis hay que gastarlas en los primeros 15 días. Es decir que sólo te dan gratis las llamadas de 15 días.

## Actividad 11.b.

b) anuncio hamburguesa; c) anuncio del coche y anuncio del teléfono; d) anuncio de la crema adelgazante; f) anuncio del zumo de naranja.

## Actividad 12.

b) "Formúlate siempre esa pregunta." c) "Si es un anuncio de radio, escúchalo atentamente." d) No te creas que existen tratamientos médicos que funcionan de la noche a la mañana." e) "Duda de aquellos productos que han sido desarrollados 'después de años de investigación'." "No seas ingenuo." f) "Estate alerta ante productos que se anuncian como 'naturales', 'ligeros'." g) "Lee atentamente la composición de estos productos." h) "No pierdas el tiempo en ir a una tienda… Llama por teléfono. Asegúrate de que puede comprarlo y de que hay existencias."

## UNIDAD (8)

## Actividad 2.a.

Posibles respuestas: palomas mensajeras, señales de humo, mensajeros, mensajes en una botella, gong, mensajes de luz, mensajes de tambores y cantos, mensajes de gestos, etc.

## Actividad 3.

1: ir; 2: ir; 3: ha venido; 4: viene / fui / vengo.

## Actividad 4.

Quedarse: sin cobertura, sin batería, sin crédito. Comunicar algo: urgente, por escrito, por correo. Tener: poca cobertura, el contestador automático conectado, buzón de mensajes lleno. Participar: en un foro, en un chat, en una multiconferencia. Hacer una videollamada, una llamada de teléfono, una reclamación. Hablar por teléfono / en un chat, con alguien, de algo.

### Actividad 5.a.

Zeta, sueco, cien, voz, azar, abrazar.

### Actividad 5.b.

Búsqueda de información sobre servicios; correo electrónico; obtener información de páginas web de la Administración; consulta de medios de comunicación (programación de TV, radio, lectura de periódicos, revistas; servicios de ocio (juegos, música...); chat, conversaciones o foros. (Fueron estos servicios y en este orden según datos del INE en http://www.cnti.ve/cnti_docmgr/sharedfiles/estadusodeticenlos hogares.pdf).

### Actividad 6.a.

a) La comida ya está caliente. b) Apártese, que llevo un enfermo al hospital. c) Tenga cuidado. d) El barco sale del puerto. e) Levántese. f) Ha amanecido. g) Abre la puerta, por favor. h) El año nuevo acaba de empezar.

### Actividad 6.b.

a) El pitido del microondas me indica que la comida ya está caliente (información). b) Con la sirena el conductor de la ambulancia me dice que me aparte, que lleva a un enfermo al hospital (orden). c) Con el claxon, otro conductor me dice que tenga cuidado (orden). d) La bocina de un barco en un puerto indica que el barco zarpa (información). e) El sonido de mi despertador me dice que me levante (orden). f) El canto del gallo nos anuncia que ha amanecido (información). g) Con el timbre de la puerta, la persona que llame me pide que le abra (orden). h) Las doce campanadas señalan que el año nuevo ha comenzado (información).

### Actividad 7.

b) Le pregunto al profesor o a mis compañeros de clase qué significa la palabra batería. c) Le digo que si puede repetir la explicación. d) Le pregunto al profesor que cómo se escribe y le pido que la escriba en la pizarra. e) Le pregunto a un compañero de clase (que) dónde hemos quedado y a qué hora. f) Le pregunto (que) cuándo es la fecha del último examen. g) Le pregunto al profesor cuánto tiempo dura el examen.

### Actividad 8.a.

a) 4. b) 5. c) 3. d) 2. e) 1.

### Actividad 8.b.

2. En una librería un hombre bajo le pide a otro que es más alto que le ayude a bajar los libros. 3. Un niño le pide a su padre que le cuente un cuento. 4. Una mujer mayor le pregunta a una chica por qué autobús viene. 5. Un hombre con un perro muy grande le pide a otro que lleva un perro pequeño que se aparte que su perro muerde.

### Actividad 8.d.

2. Es que me dan miedo las alturas. 3. Es que a mí también me gustan los cuentos. 4. Es que no veo bien. 5. Es que el mío es muy nervioso.

### Actividad 10.a.

a) Marta; que se vayan el fin de semana a la playa; le dice que sí. b) Su madre; que cuide a su gata Sabrina; le dice que sí; c) Javier; que cuide a su hija Laurita; le dice que sí.

### Actividad 10.b.

Doctor, el problema es que no sé decir que no.

### Actividad 10.c.

a) Pide; acude. b) Y si. c) Explicas / cuéntales. d) por qué. e) No permitas. Los consejos apropiados para Alberto son el b, el c, y el d.

### Actividad 11.

Pepa por Pepe: a) se las hace; b) se lo cuida; c) se lo lleva al lavadero de coches. Pepe por Pepa: d) se la plancha; e) se las riega; f) se los limpia.

## UNIDAD ⑨

### Actividad 2.a.

a) La boca de la Giocoda. b) La oreja de Van Gogh. c) Los dientes del vampiro. d) La nariz de Pinocho.

### Actividad 3.a.

Egipto: d; Mundo grecorromano: e; Edad Media: a; Siglo XVII-XVIII: b; Siglo XX: c.

### Actividad 4.c.

a) Pelo al cero con pelucas por el intenso calor y porque las pelucas eran un símbolo de erótico. b) Pelo ondulado; transmitía sensación de libertad, de movimiento. c) Cabello con raya en medio y trenzas; no se daba mucha importancia al peinado; además existía la costumbre de llevar una túnica que cubría la cabeza. d) Pelucas de color blanco; simbolizan el poder, el lujo y la posición social. e) Pelo sencillo, natural; se odian las costumbres de la época anterior. f) Todos los estilos posibles; por los cambios.

### Actividad 5.a.

Sistema nervioso: temblores. Vejiga: molestias al orinar. Nariz: estar resfriado, estornudar, sangrar. Amígdalas: picor de garganta, tos. Cabeza: jaqueca. Oído: problemas de audición, dolor de oídos. Lengua: mal aliento. Ojo: visión borrosa, ojos enrojecidos. Columna vertebral: dolor de espalda. Piel: acné / granos. Manos: dolores en las articulaciones al escribir. Pie: no poder andar, inflamación del pie.

### Actividad 6.a.

Diría; pondría; haría; tires; escondas; laves; limpies; podría / puede; esperaría; desharía; evitar; busques, entren; salir; busca; dices; haría; ser; puedes / podrías; debería / debe; perdónate; premies; cómprate.

### Actividad 7.a.

Pero, pelo, mar, mal, rata (primera fila); cero, ola, pera (segunda fila); sor, poro, cara (tercera fila); paro, lomo (cuarta fila).

### Actividad 8.a.

a) ¿Tiene dolores de cabeza frecuentemente? b) ¿Tiene problemas para dormir y se siente nervioso durante el día? c) ¿Tiene molestias de estómago? d) ¿Ha tenido fiebre? e) ¿Le han salido granos en alguna parte del cuerpo? f) ¿Le duele al caminar?

### Actividad 8.b.

a) jaqueca; b) estrés; c) gastritis; d) gripe; e) alergia; f) esguince.

### Actividad 9.

a) 5. b) 4. c) 3. d) 1. e) 6. f) 2.

### Actividad 10.a.

a) pomada; b) inyección; c) supositorio; d) gotas; e) jarabe; f) pastillas.

### Actividad 10.b.

Respuesta modelo: Cuando era pequeño no me gustaba nada tomar jarabe porque me sabía muy mal. Recuerdo una vez que estaba en la cama con gripe y mi madre vino con el jarabe. Hice que me lo tomaba, pero cuando se fue, lo escupí a una planta que había en mi habitación.

### Actividad 11.a.

Respuesta modelo: b) La llevo para oler bien. c) No lo llevo. d) Las llevo para depilarme las cejas. e) No la llevo. f) La llevo para hidratarme las manos. g) Lo llevo para cortarme las uñas. h) No la llevo. i) No la llevo. j) No la llevo. k) No las llevo. l) La llevo para cuidarme la piel de los ojos. m) La llevo para arreglarme el pelo. n) Lo llevo para arreglarme si salgo alguna noche. ñ) La llevo si voy al campo o a la playa en verano.

### Actividad 2.b.

En el Imperio romano… / Hombres y mujeres… / por igual: c. En la China antigua tanto los hombres como las mujeres…: a. Luis XIV, el rey Sol,… / el primer hombre… / otros hombres: b.

## UNIDAD ⑩

### Actividad 2.a.

Informática: 1. Cine: 2. Medicina: 2. Música: 4. Radio: 6. Telefonía: 5.

### Actividad 2.b.

a) sacarán / dirán; b) habrá; c) podrán; d) hará / será / revolucionará; e) tendrán / querrán; f) tendrán.

### Actividad 2.c.

1: f. 2: c. 3: e. 4: d. 5: b. 6: a.

### Actividad 3.a.

Respuesta modelo: a) El hombre llegará primero a Marte y luego a otros planetas. b) El inglés, el español, el chino serán las lenguas con más millones de hablantes. c) La edad media será de 100 años. d) Las máquinas crearán un nuevo orden social. e) Nos reproduciremos en laboratorios. f) No desaparecerán los profesores, pero habrán de cambiar sus sistemas de enseñanza.

### Actividad 3.b.

a) Se podrá encerrar vida humana en cápsulas y enviarla a otros planetas. b) No creo que sólo queden 14 lenguas en el mundo. c) No creo que el hombre consiga ser inmortal. d) Quizá las máquinas consigan fabricarse a sí mismas. e) Tal vez, los bebés se gestarán también en los cuerpos de los varones. F) Puede que en el próximo milenio desaparecerán las escuelas físicamente.

### Actividad 4.

a) En cuanto salgas de esta consulta, encontrarás al amor de tu vida. b) Dentro de tres días sufrirás un ataque al corazón. c) Tres semanas después de que acabe el verano te tocará la lotería. d) Cuando se jubile tu jefe, ascenderás en la empresa. e) Dentro de tres días, cuando llegues a casa, sufrirás un accidente doméstico.

### Actividad 6.a.

Tengas; dividirás; haber; tendrás; hayas; agitarás; tirarás; estén; observarás; interpretarás; estén; indicarán; hablará; tendrás; habrás.

### Actividad 7.a.

Ir _ fuera; poder _ pudiera; decir _ dijera; estar _ estuviera; venir _ viniera; tener _ tuviera; hacer _ hiciera; ser _ fuera.

### Actividad 7.b.

a) fuera, bruja; b) pudiera, genio; c) dijera, astrólogo; d) estuviera, vidente; e) viniera, dragón; f) tuviera, hada; g) hiciera, mago.

### Actividad 8.a.

| JA | JE/GE | JI/GI | JO | JU |
|---|---|---|---|---|
| bruja | objeto genio | dijimos astrología | brujo | jugar |
| GA | GUE | GUI | GO | GU |
| galaxia | consigue | seguimos | mago | seguro |

### Actividad 9.a.

Si estuviera a punto de irme a Nueva Zelanda de vacaciones, me pondría muy nervioso si las compañías aéreas se declararan en huelga.
Si fuera de compras y encontrara algo que llevo buscando mucho tiempo, pero no llevo dinero, me querría morir si no encontrara mi tarjeta de crédito en la cartera.
Si invitara a un compañero de trabajo a comer a un restaurante de carne argentina, lo pasaría mal si me enterara durante la comida de que es vegetariano.
Si saliera al cine a ver una película que las críticas ponen muy bien, me sentiría defraudado si me aburriera mucho.

Si me comprara un ordenador de última generación, me pondría de los nervios si a los pocos días de usarlo se estropeara el disco duro por culpa de un virus.

Si me tomara unos días libres para ir a esquiar, no me gustaría tener la mala suerte de que un vendaval estropeara mis vacaciones.

# UNIDAD (11)

### Actividad 2.a.

1: d. 2: b. 3: c. 4: a.

### Actividad 2.b.

Respuesta modelo: A: ¡Es sorprendente! ¡Increíble! Podría haberse matado, es una casualidad que no se haya matado. B: ¡Es un poco sorprendente, pero me parece una buena medida! Me parece que los jueces tendrían que emitir más sentencias de este tipo. C: ¡Qué barbaridad! ¡Es una exageración! Yo soy partidario del divorcio, pero casarse 53 veces es ya una exageración. D: ¡Me parece indignante! Me parece que la causa del despido es una excusa para deshacerse de ese trabajador.

### Actividad 3.a.

Respuesta modelo: b) Sí, lo había oído. c) No tenía ni idea. d) Sí, lo había oído. e) Sí, lo he escuchado.

### Actividad 3.b.

1: b. 2: d. 3: a. 4: c.

### Actividad 4.a.

Cobrar por opinar.

### Actividad 4.b.

Texto de Paco: existan, empieza. Texto de Aurora: empieza, tiene. Texto de Mariano: falte, es, hayan. Texto de Jorge: hace, tiene. Texto de Raquel: tienen, haya.

Parece que no han cobrado por opinar, es un foro gratuito, no se comercializa ningún producto. Pero podrían recibir algún dinero por opinar si se trata de un foro que mantiene una empresa inmobiliaria o similar.

### Actividad 4.c.

Expresar opinión: No creo que… / Creo que… / Desde mi punto de vista… / Para mí… / A mí me parece que… Expresar acuerdo: Por supuesto que sí. / Por supuesto que no. (detrás de una opinión negativa) / Depende. / Sí, sí. / Estoy de acuerdo con… / Estoy totalmente de acuerdo.

Expresar desacuerdo: Pues depende, según se mire porque… /

Estoy en total desacuerdo con… / Que no, que… / No lo veo tan claro. / No estoy nada de acuerdo.

Expresar aprobación / desaprobación: Me parece fatal que… / Me parece bien que… Recoger las opiniones de otros: Propone que… / Plantea que… / Considera que… / Opina que… / Piensa que…

### Actividad 6.a.

En primer lugar va la viñeta d. Después, en segundo lugar, va la viñeta c; en tercer lugar, va la viñeta f. Después de la h, va la viñeta b. Después de la b, y antes de la última viñeta va a y, por último, va la viñeta e.

### Actividad 6.b.

El cuento se relaciona con la opinión d de la actividad 5 porque muestra la misma idea: es el hombre quien genera los problemas del mundo, él es el último responsable de ellos y en quien está la solución para los mismos.

### Actividad 7.

Respuesta modelo: a) desequilibrio entre países desarrollados y en vías de desarrollo; b) guerras; c) terrorismo; d) corrupción y abuso de poder; e) insolidaridad; f) degradación del medio ambiente; g) guerras; h) el paro; i) la pérdida de valores; j) desigualdades sociales.

### Actividad 8.b.

Práctica de la pronunciación de las palabras: hambre, explotación, desequilibrio, globalización, inmigración, reproducción y degradación.

### Actividad 10.b.

b)

### Actividad 11.a.

a) Indica que se ha establecido comunicación entre dos personas. b) Puede indicar hostilidad, ira. c) Puede indicar aburrimiento, cansancio. d) Puede indicar indiferencia o vergüenza o timidez. También desacuerdo o desagrado ante lo que otra persona está diciendo. e) Puede indicar falta de sinceridad.

### Actividad 10.a.

Respuesta correcta: c.

### Actividad 11.c.

¿En qué sentido…? b. ¿Fue novedosa…? b.

# UNIDAD (12)

### Actividad 2.a.

Corresponde a una despedida.

### Actividad 3.

a) 2; escríbeme pronto; un besote; buen viaje. b) 3; ¡suerte!; te deseo lo mejor. c) 4; te voy a echar de menos; llámame; te quiero. d) 1; ¡a ver si nos vemos!; gracias por todo.

### Actividad 5.a.

a) Dejar su despacho. b) Tener tiempo libre. c) Jubilarse porque se siente todavía un chaval. d) De forma positiva. e) No haber acabado algunos proyectos.

### Actividad 8.a.

A: japonés. B: árabe. C: chino. D: alemán. E: zulú. F; italiano.

## Actividad 3.b.

Frida Khalo nació el 6 de julio de 1907 en Coyoacán, México. Su padre era fotógrafo y aficionado a la pintura, pero ella no empezó a pintar hasta los 18 años. Descubrió su afición, porque pasó tres meses en la cama recuperándose de un terrible accidente y la pintura la ayudaba a distraerse. Sus cuadros hoy son muy conocidos y está considerada como una de las pintoras mexicanas más importantes del siglo XX. Su vida está ligada a la de otro pintor mexicano muy conocido, Diego Rivera, con el que tuvo una relación complicada y con el que se casó dos veces, una en 1929 y otra en 1941. Murió de una enfermedad pulmonar en 1954 cuando tenía 47 años. De su obra destacan...

## Actividad 7.a.

**a)**

PERIODISTA: Perdone, ¿tiene un minuto?

ALEJANDRO: Bueno.

PERIODISTA: Mire... Es una encuesta para un estudio sobre la relación entre las preferencias de una persona por los colores y sus gustos.

ALEJANDRO: Si sólo son unas preguntas...

PERIODISTA: Claro, por supuesto. A ver, ¿qué colores prefiere? ¿Los cálidos, como el rojo, el naranja o el amarillo, o los colores fríos como el azul o el verde?

ALEJANDRO: A mí me gusta mucho el rojo y en general, los colores alegres.

PERIODISTA: Muy bien. Y en cuanto a comidas, ¿qué prefiere, la carne o el pescado?

ALEJANDRO: La carne; el pescado no me gusta mucho.

PERIODISTA: A ver, la carne... ¿Y la pasta o la verdura?

ALEJANDRO: La pasta. Como buen italiano, me encanta la pasta.

PERIODISTA: Um...Y en general, ¿qué le gustan más las bebidas frías o las calientes?

ALEJANDRO: Las bebidas frías, como una buena cerveza...

PERIODISTA: Perfecto... Eso ha sido todo.

**b)**

PERIODISTA: ¿Qué colores te gustan más? ¿Los rojos, los naranjas o los verdes y azules?

MAICA: A mí me gusta mucho el amarillo, es mi color favorito, así que creo que prefiero los colores cálidos.

PERIODISTA: Entonces, colores cálidos, vale. Y las comidas, ¿qué prefieres, la carne o el pescado?

MAICA: El pescado... La carne, nada, nada, no me gusta nada.

PERIODISTA: ¿Y la pasta o la verdura?

MAICA: Ah, esa es fácil... La verdura... Engorda menos y a mí me encanta.

PERIODISTA: De acuerdo. Y en general, ¿qué prefieres, las bebidas frías o las calientes?

MAICA: Las frías... No me gusta el café y el té tampoco mucho. Ni siquiera por las mañanas. Normalmente desayuno un yogurt o un zumo.

**c)**

PERIODISTA: Entonces, ¿qué colores le gustan más? ¿Los cálidos o los fríos?

AURORA: Uh...A ver, creo que, en general, los colores cálidos.

PERIODISTA: Vaya... Y en cuanto a la comida, ¿qué le gusta más, la carne o el pescado?

AURORA: La carne, a mí el pescado ni fu, ni fa.

PERIODISTA: ¿Y la pasta o la verdura?

AURORA: Pues no sé qué decirle... Las dos cosas por igual.

PERIODISTA: Y en general, ¿qué prefiere las bebidas frías o las calientes?

AURORA: Depende del momento... Pero cuando salgo, casi siempre tomo un café o un té o un chocolate... La verdad, no lo he pensado nunca, pero creo que prefiero las bebidas calientes. ¡Qué gracia!

## Actividad 9.a.

**a)** Uh... ¡Cómo me gusta levantarme temprano los lunes!

**b)**

MUJER: Hola, ¿estás en casa? ¿Oye, estás ahí?... He traído la cena del restaurante de al lado. Así no tenemos que cocinar esta noche.

MARIDO: Sí, sí estoy aquí. ¡Huy, qué pena; con lo que me gusta cocinar!

**c)**

MARIDO: Mira, ese es el mueble que me gusta. ¿Te gusta a ti para el salón?

MUJER: Sí. Está bien. La madera es bonita. Sí me gusta mucho. ¿Y cuánto dices que cuesta?

**d)**

MADRE: Anda, Javi, haz los deberes y luego vemos los dibujos animados.

NIÑO: Que no, que no quiero hacer los deberes. Y tampoco quiero ver los dibujos, ¡no me gustan!

## Actividad 11.a.

Bienvenidos telespectadores al programa de hoy. Esta noche hemos reunido a varios especialistas para tratar un tema "emocionante": la relación entre las emociones y el aprendizaje. Pero antes de conocer las opiniones de nuestros expertos vamos a ver qué opina la gente de la calle. Y esta vez, para la encuesta nos hemos ido a una escuela de español y hemos preguntado a algunos alumnos.

1. Yo creo que para aprender, lo más importante es estar motivado y necesitar esa lengua para tu vida diaria, por el trabajo o los estudios. Luego, también es importante relacionarte con personas que hablan español.

2. Para mí es importante ir a clase, pero todo no se aprende en clase, claro. Por eso creo que es fundamental también trabajar por tu cuenta, por ejemplo viendo películas en español. Ah...Claro y estar motivado.

3. Yo creo que es importante sentir interés por la cultura del español. Y sobre todo, tener interés por conocer a personas que hablan español. Y luego... Está eso de los deberes... Y trabajar en casa, leer en español; eso ayuda.

4. Vamos a ver... Uh... Bueno, una lengua se aprende hablando con otras personas. Por eso creo que es fundamental ser extrovertido y sociable... Ah, claro, y estar motivado.

## UNIDAD ②

### Actividad 4.a.

Este es el contestador automático del programa "El espacio radiofónico es tuyo". Ahora estamos recogiendo opiniones para el debate de mañana: "¿Es bueno que nos niños vean la televisión?". Si quieres participar, deja tu mensaje después de la señal.

1. La pregunta del debate me interesa mucho porque tengo dos hijos pequeños. Yo creo que la televisión, en general, no es nada buena para los niños. No sé, yo creo que ver la televisión es una actividad pasiva y que eso no puede ser bueno para el desarrollo de los niños.

2. Hola. Soy Gabriela Narváez y trabajo en un hospital porque soy médico. Yo quiero decir que algunos estudios han demostrado que en los niños que ven mucha tele aumenta el riesgo de obesidad y de problemas de vista. Por eso creo que es malo que los niños pasen más de 30 minutos cada día viendo televisión.

3. Yo pienso que la televisión tiene también un valor educativo importantísimo. Muchos programas son auténticas clases que enseñan a los niños muchas cosas. Y todo eso de la violencia de la televisión y los niños… Yo crecí viendo muchas series de policías y ladrones y eso no me ha hecho ser una persona agresiva.

### Actividad 9.

a) Ahhhhhhhhhhhhhhhhhhhhhhhhhhhh.

b)
- ¿Puedes pasarme ese tornillo? Tengo mucha hambre.
- Sí, claro, toma.

c) (Música infantil).

d) Hola, ya estoy en casa.

e) Ser o no ser. Esa es la cuestión.

f) Ahahahaaaaaaaaaa.

g) Te quiero. No te voy a olvidar. Adiós.

h) ¡Arriba las manos!

### Actividad 11.a.

a) Trama.
b Guión.
c) Cámara.
d) Musical.
e) Película.
f) Documental.
g) Largometraje.
h) Telenovela.

## UNIDAD ③

### Actividad 2.a.

a)
**MADRE:** Marisol, cariño, sal del agua.
**MARISOL:** Sí, mami, ya voy… Espera un poquito…

b)
**ALBERTO:** Marisol, ¿vienes al recreo?
**MARISOL:** Sí, espera que estoy apuntando los deberes. Oye, y los demás…

c)
**MARISOL:** "Querida Marisol, te echamos mucho de menos. Seguro que estás aprendiendo mucho y que lo estás pasando estupendamente."

d)
**MÉDICO:** Adelante.
**MARISOL:** Hola doctor, buenas tardes.
**MÉDICO:** Eres Marisol Gutiérrez, ¿verdad? Pues me acaban de llegar los resultados de la ecografía. Todo está bien, tienes que cuidarte, hacer un poco de ejercicio; ya sabes que es importante no engordar demasiado ahora en los últimos meses. ¿Cuándo empiezas las clases de preparación al parto? Te lo digo porque…

### Actividad 10.b.

El tiempo pasa, sí señores. Es evidente. Yo antes era mucho más joven y mucho más fuerte y más guapo... ¿No se lo creen? Pues tienen que empezar a creerlo, porque no siempre van a estar tan estupendos como yo ahora los veo a todos ustedes… Pues vamos a ver, esto del tiempo nos afecta a todos, a nosotros y a las cosas… Y también al lenguaje. Porque el lenguaje también ha cambiado mucho en los últimos años. ¿Saben cómo se le pide ahora a una chica que te dé su teléfono?: "Aurora, ¿por qué no me das tu e-mail?"… Claro y así no se puede… Yo creo que ahora los solteros lo tenemos muy difícil con los tiempos que corren, porque es que ahora, en lugar de solteros, somos "profesionales independientes" y así cómo va uno a ligar…Pero los tiempos modernos no solo han cambiado la forma de ligar, ¿qué me dicen de los nuevos deportes que han aparecido? Yo en mi pueblo caminaba entre piedras a todas horas… Y ahora he descubierto que siempre he estado haciendo *trekking*…Y lo de viajar a cualquier lado y a cualquier precio, ¿qué me van a decir si ahora se llama "turismo de aventura"?…Pues menuda aventura digo yo, que es ir sin un euro en el bolsillo, que no tienes ni para comerte un bocadillo… Fíjense si han cambiado las cosas, que ahora esta profesión mía, que es la de hacer el tonto, mi psicólogo me dice que me sirve de terapia. ¿Se habrá dado cuenta de que los humoristas no ganamos demasiado dinero?

## Actividad 11.

a) Piedras.
b) Profesional.
c) Independiente.
d) Viajar.
e) Cualquier.
f) Precio.
g) Terapia

# UNIDAD (4)

### Actividad 4.a.

a) Pues yo el 31 de diciembre, ceno casi siempre con mi familia. Empezamos a cenar pronto a las 9 h. más o menos. Después de la cena tomamos champán y a las 12 h. llega lo mejor de esa noche. Ponemos la televisión, vemos la retransmisión de las campanadas, y tomamos las uvas. Luego, suelo salir con mis amigos; vamos a una discoteca, o a un bar, o a una fiesta organizada, depende del año. La verdad, es que la Nochevieja es una fiesta estupenda.

b) A mí me encanta el día 1 de noviembre, el día de Halloween que se celebra mucho en mi país. Me gusta ver a los niños cómo se disfrazan y van cantando canciones de Halloween y pidiendo dulces de casa en casa. Ese día suelo quedarme en casa, hago un pastel, y espero a los niños. Cuando llaman a mi puerta, les abro y les doy un trozo del pastel.

### Actividad 10.a.

Canapés.
Aceitunas.
Patatas.
Fritas.
Tortilla.
Pasteles.
Cerveza.
Botella.
Champán.
Copa.
Vino.
Gorritos.
Papel.
Globos.
Confeti.
Matasuegras.
Zapatos.

Tacón.
Disfraz.
Corbata.
Traje.

### Actividad 13.a.

**CAMARERO:** ¿Qué van a tomar los señores?

**GREGORIO:** ¿Qué tienen de menú?

**CAMARERO:** A ver, de primero tenemos sopa castellana, ensalada y patatas con chorizo.

**GREGORIO:** Pues para mí, una ensalada, por favor.

**CATHERINA:** Para mí, las patatas con chorizo. ¡Qué ricas!

**GREGORIO:** Y de segundo, ¿qué tienen?

**CAMARERO:** Filete de ternera con patatas fritas, pescado al horno y pollo con ensalada.

**CATHERINA:** Yo quiero filete.

**GREGORIO:** Uf, yo no. Yo quiero algo más ligero. A mí me trae el pescado, por favor.

**CAMARERO:** De acuerdo.

**GREGORIO:** Bueno, qué piensas del nuevo plan de formación de la empresa…

(…)

**CAMARERO:** ¿Van a tomar postre, o quieren café?

**CATHERINA:** ¿Qué tienen de postre?

**CAMARERO:** Fruta, tarta y yogures.

**CATHERINA:** Pues yo la tarta y luego un café.

**GREGORIO:** Yo no quiero nada de postre, gracias. Solo un té, por favor.

**CATHERINA:** ¿No quieres postre? Tú normalmente comes poco, ¿no, Gregorio?

**GREGORIO:** No, es que no me gustan los dulces. Además los días de trabajo prefiero comer poco.

**CATHERINA:** Pues yo, depende del día. A veces como mucho, como hoy, y otros días no como, o como delante del ordenador.

# UNIDAD (5)

### Actividad 3.b.

a) Seguro que entre todos encontramos la solución. Tenemos que ver el problema desde todos los puntos de vista posibles. Trabajando juntos lo conseguiremos.

b) Se trata de un problema serio, sin duda. Por ello necesitamos mucha imaginación para resolverlo.

c) No hay que ponerse nervioso. Si se puede hacer, lo hacemos. El trabajo duro nunca ha matado a nadie.

**d)** No tenemos que verlo como problema, sino como un reto y una forma para crecer. Podemos ponernos en contacto con otra gente que nos puede ayudar con su experiencia.

## Actividad 8.a.

**a)** Sábado.

**b)** Matemáticas.

**c)** Médico.

**d)** Teléfono.

**e)** Relámpago.

**f)** Música.

## Actividad 10.a.

**PSICÓLOGA:** Mira Carlota, para empezar con la terapia, necesito tener más información sobre tu vida pasada y cómo esta ha influido en tu forma de ser y de hacer actualmente. Muchos de los problemas que tenemos se derivan de conflictos o de situaciones que no resolvimos adecuadamente en nuestra infancia. ¿Te parece entonces que empecemos por ahí?

**CARLOTA:** Sí, si eso cree que es buena idea… Pues adelante.

**PSICÓLOGA:** A ver, me has dicho que eres una persona extrovertida. ¿Siempre has sido así?

**CARLOTA:** No, qué va, si en el fondo, yo soy muy tímida. De pequeña no hablaba mucho, prefería observar. Cuando empecé el instituto lo pasé mal, tenía que hacer nuevos amigos y a mí eso me costaba. Estuve dos meses casi sin hablar con nadie, hasta que un día pensé que había que sobrevivir y me puse a hablar con un compañero. Y desde entonces no he parado…

**PSICÓLOGA:** Vaya… Vaya.

**CARLOTA:** Sí, y ese compañero fue, primero mi mejor amigo, y luego mi novio durante cinco años. ¡Empezamos juntos la universidad y todo! Pero al final, lo dejamos. Esa fue mi primera experiencia dolorosa en el amor… Pero creo que me ayudó a madurar. Yo, por entonces era casi una niña.

**PSICÓLOGA:** Bueno, todos hemos tenido experiencias parecidas. Y ya que estás hablando de los años de la universidad, ¿cómo fueron?

**CARLOTA:** En general buenos. Me sirvieron para aprender a organizarme, y a ser más constante. Pero lo mejor de aquellos años fue poder conocer a gente de otras culturas que estudiaban en la universidad y que habían venido con programas de intercambio. Eso fue genial; me ayudó a tener en cuenta puntos de vista distintos y sobre todo a ser más tolerante.

**PSICÓLOGA:** ¿Tuviste alguna relación especial con alguno de esos compañeros?

# UNIDAD (6)

## Actividad 2.b.

**MIGUEL:** Mira Marisa, sólo faltan 10 kilómetros para llegar de una vez a San Andrés de Teixido, ¡Uhhhh! ¡Qué miedo! Es uno de los pueblos de aquí de Galicia del que cuentan más leyendas y misterios.

**MARISA:** ¡Calla Miguel! Está anocheciendo y sabes que los bosques de noche me dan miedo… Por la noche las ramas de los árboles me parecen los brazos de los protagonistas de los cuentos de terror… ¡Jo! Se tenía que estropear justo ahora este trasto. Ves lo que pasa Miguel.

**MIGUEL:** No te preocupes, Marisa. Mira, allí hay un pequeño hostal de carretera y seguro que nos pueden ayudar.

(…)

**MIGUEL:** Buenas noches señor, el coche se ha parado y no hay forma de ponerlo en marcha. ¿Tienen una habitación libre para esta noche?

**MARIANO:** Pareja, están de suerte. Les puedo ofrecer una doble con baño… Xurxo, quédate cerca, que la noche está fría y te puedes resfriar.

**XURXO:** Que no eres mi padre, Mariano.

**MARISA:** ¿Y ese chaval? ¡Qué extraño! Por su voz parece que tiene ochenta años, y no debe tener más de siete. ¿No es muy pequeño para que ande tan tarde por la carretera?

**MARIANO:** Ustedes no son de aquí, ¿verdad? Claro, ya entiendo… Pues verán, Xurxo vive conmigo desde hace un año… Vino solo y vive solo aquí. En el pueblo hablan, cuentan muchas cosas…Dicen que Xurxo es un niño grande, un niño de muchos años… Verán, cuentan que un día hace ochenta años, en la plaza de San Andrés de Teixido, apareció desnudo un anciano de cabello blanco. Le preguntaron quién era, pero el anciano parecía como un bebé: no podía hablar, estaba desnudo y de vez en cuando lloraba. Un vecino lo llevó a su casa y le cuidó durante unos meses hasta que el anciano empezó a andar… Y un día se escapó al bosque, y allí se quedó. Cuentan que la gente del pueblo le dejaba comida en el bosque, y que él iba a recogerla. Lo veían poco, alguna noche, lo veían jugar con el agua de la fuente de la plaza mayor y reír a carcajadas… Pero poco más. Por el día desaparecía. Y pronto Xurxo se convirtió en una leyenda. Algunos empezaron a decir que lo habían visto en el bosque, pero que Xurxo estaba muy cambiado… que ya no tenía el pelo blanco, que sus arrugas habían desaparecido… Y la gente empezó a decir que Xurxo crecía al revés… Que había nacido anciano, pero que de mayor sería un niño. ¡Vaya cosas! Años más tarde se empezó a decir que Xurxo era ya un hombre fuerte, que había madurado en esos años de vida en el bosque y que como era ya un adulto y estaba en edad de trabajar, había emigrado a otra tierra para buscar allí un trabajo y un futuro mejor… Y no se supo más de él… Hasta que apareció nuestro Zurzo. Sí, un niño extraño… Con el cuerpo de un niño de siete años y la voz de un anciano, sin familia, sin padres… Y claro, algunos en el pueblo dicen que nuestro Xurxo es aquel anciano que volvió hace un año a nuestro pueblo, San Andrés de Teixido, el lugar donde había nacido.

**MARISA:** ¿En serio? ¿Me está diciendo que ese niño que hemos visto nació anciano y morirá de niño? ¡Bueno… Basta ya de tonterías que no está la noche para bromas! Miguel… ¿Y si vamos a ver si el coche arranca…?

**Miguel:** Sí, Marisa… Puede ser una buena idea.

## Actividad 6.c.

**PRESENTADOR:** Como ya saben todos ustedes el conocido doctor Carlos Lagunas apareció muerto en su casa en extrañas circunstancias hace hoy una semana. Hoy tenemos aquí con nosotros al detective privado Rodolfo Mataró que ha venido a contarnos las últimas novedades en torno a la investigación. Les adelanto que son las últimas noticias del caso, por lo que les animo a que no se separen del televisor. Hola Rodolfo, buenas tardes.

**RODOLFO MATARÓ:** Buenas tardes… Aunque buenas, buenas, no lo son del todo, porque las últimas noticias son tremendas…

**PRESENTADOR:** Bueno, no vamos a adelantar nada a nuestros espectadores… Yo creo que lo mejor es que nos remontemos a los hechos que ocurrieron la semana pasada. ¿Te parece?

**RODOLFO MATARÓ:** Sí, claro, por supuesto.

**PRESENTADOR:** Vayamos por partes entonces… Vamos a ver… El doctor Carlos Lagunas apareció muerto en su casa el viernes pasado. El cadáver lo descubrió su ayudante Guido Freire. ¿Verdad? ¿Qué fue lo que inicialmente esta persona pensó que había ocurrido?

**RODOLFO MATARÓ:** Pues lo primero que a uno le viene a la mente… Que había sido una muerte natural, por un infarto, un derrame cerebral o algo así… Pero claro, al ver esas marcas en el cuello de su jefe, inmediatamente se dio cuenta de que las cosas habían sido de otra manera.

**PRESENTADOR:** Sí, Claro… Una muerte natural no deja señales en el cuello… Al principio también se habló de un posible suicidio. ¿Es cierto?

**RODOLFO MATARÓ:** Sí ya sabemos todos cómo es la prensa del corazón. Se dijo que su mujer lo había abandonado y que él se había suicidado; pero ella, en realidad, estaba de viaje, y además al día siguiente por la mañana le llamó para darle los buenos días, y fue entonces cuando la pobre se enteró de todo. Claro el teléfono se lo cogió la policía.

**PRESENTADOR:** ¡Pobrecilla! Qué poco respetuosa es a veces la prensa. Entonces, una vez descartada la hipótesis del suicidio y de la muerte natural, se pensó en el robo. ¿Verdad?

**RODOLFO MATARÓ:** Sí, eso fue lo primero que pensó la policía, pero la puerta no estaba forzada; en la casa no había desaparecido nada, estaba todo, el dinero, los cuadros, las joyas…

**PRESENTADOR:** Claro, y ante la falta de posibles explicaciones, alguien apuntó a un accidente con el perro… Pero las marcas del cuello, eran claras: no había signo de mordiscos; no había duda… Había sido un estrangulamiento.

**RODOLFO MATARÓ:** Sí, esa es la hipótesis en la que se ha estado trabajando hasta hoy…Pero hoy ha habido novedades…

**PRESENTADOR:** Cuenta, cuenta…

**RODOLFO MATARÓ:** Pues hoy la cocinera que trabajaba en la casa del doctor Lagunas, se ha presentado en la comisaría de policía con una caja. Y en esa caja estaba la explicación de lo ocurrido.

**PRESENTADOR:** ¿En una caja? ¿En serio?

**RODOLFO MATARÓ:** Sí, la cocinera estaba muy, pero que muy asustada… Dice que al día siguiente de la muerte del doctor Lagunas, después de irse la policía y de llevarse el cadáver, ella empezó a recoger todo. Y mientras estaba recogiendo y limpiando la habitación, debajo de la cama vio una mano que se movía…

**PRESENTADOR:** ¿Una mano? ¿De quién?

**RODOLFO MATARÓ:** Pues ese es el caso, que la mano no era de nadie, que era una mano sola que se movía, pero no estaba pegada al cuerpo de nadie.

**PRESENTADOR:** ¿De verdad?

**RODOLFO MATARÓ:** Como te lo digo… Y era cierto porque la cocinera guardó esa mano en la caja y es lo que esta mañana le ha llevado a la policía.

**PRESENTADOR:** ¡No me lo puedo creer!

**RODOLFO MATARÓ:** Pues sí, sí, créetelo.

**PRESENTADOR:** ¿Y qué ha hecho la policía con la mano?

**RODOLFO MATARÓ:** Pues al principio, no sabían… Porque la mano se movía, y claro a todos les daba un poco de miedo… Luego a alguien se le ha ocurrido darle un bolígrafo a la mano a ver si decía de quién era…

**PRESENTADOR:** ¿Y qué ha pasado?

**RODOLFO MATARÓ:** Pues que la mano, con el bolígrafo, ha escrito en un papel: "Soy la mano de Ramiro López, paciente operado por Carlos Lagunas y muerto en quirófano. He venido del más allá para vengarme. El viernes pasado hice justicia".

**PRESENTADOR:** ¿Qué me cuentas? ¿Crees que podemos estar entonces ante un suceso paranormal?

**RODOLFO MATARÓ:** Sí, eso mismo. No hay duda… Se ha comprobado ese dato y, efectivamente, Ramiro López fue paciente del doctor Lagunas y murió el año pasado en quirófano por una parada cardiaca… Claro que en eso, el doctor Lagunas no tuvo nada que ver… Pero ya sabes cómo son estas cosas…

## Actividad 9.c.

Cementerio.
Tumba.
OVNI.
Cruz.
Señal.
Ruidos.
Espíritu.
Alma.
Más allá.
Murciélago.
Espiritismo.
Tener miedo.
Tranquilidad.
Visión.
Asustarse.
Susto.

## Actividad 3.a.

**Psicólogo:** A ver Julián. Te explico lo que tienes que hacer. Te voy a pasar una prueba, parecida a la del test de Roscharch, pero más sencilla. Te voy a enseñar unas imágenes y me tienes que decir cuál es el objeto de tu vida diaria que primero asocias con esa imagen. ¿Entendido? Es importante esto, tienes que decir qué sensaciones asocias también a ese objeto. ¿Vale?

**Julián:** Sí, he entendido. Tú me enseñas una imagen, y yo te digo a qué me recuerda de mi vida diaria.

**Psicólogo:** Sí, pero antes de decir el nombre del objeto, tienes que describirlo, ¿vale?

**Julián:** Sí, vale.

**Psicólogo:** A ver, ¿a qué te recuerda esta primera imagen? Recuerda, descríbela primero. ¿Lo tienes ya?

**Julián:** Sí, me ha venido a la mente enseguida. A ver… Es una cosa cuadrada, de madera y con patas. La uso para comer todos los días. Me gusta mucho sentarme allí. Es…

**Psicólogo:** ¿Y esta otra, la b?

**Julián:** Uh…Creo que me recuerda a un objeto de cristal, redondo, que sirve para comer. Es un objeto que me causa ansiedad. Sobre todo en mis sueños porque siempre lo veo vacío. Es un….

**Psicólogo:** Mira ahora esta otra imagen, la c. ¿A qué te recuerda?

**Julián:** A ver…. Ya lo tengo. Es una cosa que se come. De forma triangular. Me encantan los de la cafetería de al lado de mi trabajo, sobretodo los vegetales; aunque también los de jamón y queso están muy buenos… Es un….

**Psicólogo:** ¿Y esta otra, la d?

**Julián:** Uh… Ya, es la puerta de un objeto eléctrico. Ese objeto tiene forma rectangular, es de metal, y se utiliza para cocinar… Me encanta este aparato. Sobre todo cuando tengo carne asada dentro. ¡Huele de bien! Es un…

**Psicólogo:** Ya casi estamos terminando, Julián. Vamos a ver… Y esta otra imagen, la e, ¿qué ves detrás de ella?

**Julián:** Veo, veo… A ver qué veo… Ya, sí, es eso; un objeto de metal, de forma cilíndrica, con galletas dentro… ¡Qué ricas! Que me sirve para cuando tengo mucha hambre en el trabajo. La guardo en el cajón de la mesa de mi despacho… Por si me entran muchas ganas de comer. Es evidente, es una…

**Psicólogo:** Y para terminar, la última, ¿qué te sugiere la imagen f?

**Julián:** Un… Un alimento, una fruta, de forma ovalada, con marcas en la piel y que sabe muy dulce. Es una fruta que tomo de postre sobre todo en verano. Me encanta… Si está fresquito. Es un…

## Actividad 3.b.

**a)** A ver… Es una cosa cuadrada, de madera y con patas. La uso para comer todos los días. Me gusta mucho sentarme allí. Es la mesa de comedor de mi casa.

**b)** Uh…Creo que me recuerda a un objeto de cristal, redondo, que sirve para comer. Es un objeto que me causa ansiedad. Sobretodo en mis sueños porque siempre lo veo vacío. Es un plato de cocina.

**c)** A ver…. Ya lo tengo. Es una cosa que se come. De forma triangular. Me encantan los de la cafetería de al lado de mi trabajo, sobretodo los vegetales; aunque también los de jamón y queso están muy buenos… Es un sándwich.

**d)** Uh… Ya, es la puerta de un objeto eléctrico. Ese objeto tiene forma rectangular, es de metal, y se utiliza para cocinar… Me encanta este aparato. Sobre todo cuando tengo carne asada dentro. ¡Huele de bien! Es el horno de mi casa.

**e)** Veo, veo… A ver qué veo… Ya, sí, es eso; un objeto de metal, de forma cilíndrica, con galletas dentro… ¡Qué ricas! Que me sirve para cuando tengo mucha hambre en el trabajo. La guardo en el cajón de la mesa de mi despacho… Por si me entran muchas ganas de comer. Es evidente, es una lata de galletas.

**f)** Un… Un alimento, una fruta, de forma ovalada, con marcas en la piel y que sabe muy dulce. Es una fruta que tomo de postre sobre todo en verano. Me encanta… Si está fresquito. Es un melón.

## Actividad 6.a.

**Clara:** Augusto, ¿tenés un ratito?

**Augusto:** Sí, dime Clara.

**Clara:** ¿Podés venir a mi oficina para ver lo de la campaña comercial de final de año?

**Augusto:** Sí, cómo no… Espera que cojo el informe que he preparado.

**Augusto:** ¿Se puede?

**Clara:** Pasá, pasá, te estaba esperando. Mira, es que para el cierre de la campaña comercial de este año, tenemos que planificar juntos qué hacemos con todos los productos que ahora tenemos en stock, y ver qué otras cosas nos vendría bien incorporar a nuestro catálogo para el año que viene.

**Augusto:** Ya, pues vamos a ello. Me he traído aquí el informe de los productos que ahora tenemos en almacén. Vamos a ver… Mira, yo creo que lo que más nos interesaría sacar al mercado son los electrodomésticos de la marca Babor que tenemos en stock, porque la fábrica en unos meses va a empezar a comercializar nuevos modelos de electrodomésticos de última generación.

**Clara:** Sí, eso es buena idea, si no vendemos ahora esos productos, luego nos podemos ver obligados a venderlos con más de un 50% de descuento y eso sería muy poco margen de beneficio. ¿Qué electrodomésticos tenemos?

**Augusto:** Pues hay frigoríficos y lavavajillas y algunas lavadoras; todos ellos de la serie V.

**Clara:** Bueno, adelante, anotá esa mercancía para darle publicidad. Podemos sacarla con 20% de descuento sobre el

TRANSCRIPCIONES

precio del catálogo y así animamos a las tiendas para ver si nos hacen pedidos.

**Augusto:** Me parece bien, lo anoto para ponerme con ello. Vamos a ver, que tenemos otros productos a los que hay que buscar una salida... Tenemos también problemas con los televisores de la marca Visionum, los del modelo 45j, esos que tienen la pantalla completamente cuadrada. No se han vendido nada bien y la verdad, ocupan mucho espacio en el almacén. ¿Se te ocurre alguna forma para poder deshacernos de ellos?

**Clara:** No sé... Y ahora que me acuerdo, la empresa Teletrés estaba comprando televisores usados de todas las marcas para hacer un museo de la televisión. ¿Por qué no hacemos una promoción especial? Podríamos dar a nuestros clientes los televisores Visionum del modelo 45j a cambio de televisores usados más 100 euros. Yo creo que así podríamos dar salida a esa mercancía. ¿Cómo lo ves?

**Augusto:** No sé... Puede funcionar. Sobretodo si aprovechamos el tirón de las Navidades. A lo mejor la campaña funciona y salimos en las revistas del sector como ejemplo de estrategia publicitaria... ¡Qué sé yo! Bueno, otro asunto pendiente que me preocupa es ver qué hacemos con los 100.000 CD's de la historia de la música de la editorial Signo XXI que tenemos en el almacén. Eso sí que tendríamos que resolverlo y hacerlo ya. Pagamos mucho alquiler por el almacén y tenerlos ahí nos hace perder dinero. ¿Qué te parece si con el tema de las Navidades lo ofrecemos como regalo a los centros comerciales que trabajan con nosotros?

**Clara:** Sí, bueno... ¿Sabés lo que te digo? Que lo mejor sería regalárselo directamente a los clientes finales. Eso sí que sería una bomba... Les regalamos el CD de historia de la música sólo por llamarnos en Navidad. Esa puede ser nuestra mejor publicidad de cara a las fiestas. Luego, podemos aprovechar cada llamada para informarles de los otros productos que tenemos en oferta...

**Augusto:** Sí, pues así sí que me gusta la idea.

**Clara:** Perfecto. Una última cosa, en los anuncios poné el correo electrónico de Alberto, el chico nuevo que ha entrado en el departamento comercial para que él se encargue del tema. Su correo es Todohogar@ventas.com, muy fácil, de recordar: el nombre de nuestra empresa, y luego, después de la arroba el nombre de su departamento.

**Augusto:** Vale Clara, no te preocupes, que si me olvido, se lo pido...

### Actividad 9.a.

"Usa tus alas".

"Solares: solo sabe a agua".

# UNIDAD ⑧

### Actividad 5.a.

Zeta.
Sueco.
Cien.
Voz.
Azar.
Abrazar.

### Actividad 5.c.

a) Seta, zeta.

b) Sueco, zueco.

c) Abrasar, abrazar.

d) Asar, azar.

e) Sien, cien.

f) Vos, voz.

### Actividad 6.a.

a) (Un microondas cuando ha acabado y se abre la puerta).

b) (Una ambulancia).

c) (Un claxon).

d) (Una bocina de un barco cuando zarpa del puerto).

e) (Un despertador).

f) (El canto del gallo).

g) (El timbre de una puerta).

h) (Las 12 campanadas).

### Actividad 8.c.

**a)**

**Jorge:** Perdone, mire, ¿le importa ayudarme a mover esta maleta?

**Antonio:** Sí hombre, sí, a ver...Ya está... Pero, si no pesa tanto, sobre todo para un hombre tan fuerte como usted.

**Jorge:** Ya, pero es que el médico me ha prohibido coger peso, porque tengo un problema de columna

**b)**

En Navidades, tenemos un regalo estupendo para nuestros clientes... 20% de descuento en compras superiores a 80 euros.

**Alfonso:** Manolo, ¿puedes bajarme esos libros de historia que están en el último estante?

**Manolo:** Anda, Alfonso, cógelos tú, que ya sabes que yo tengo que ir a por la escalera grande.

**Alfonso:** Manolo, que no es por molestarte... Que es que me dan miedo las alturas.

**c)**

**Padre:** ...Y al final salvaron al oso... Y colorín, colorado, este cuento se ha acabado. ¿Te ha gustado, Carlos?

**Niño:** Sí, mucho, papi.

**PADRE:** Ahora, ¿y si me cuentas un cuento tú a mí?

**NIÑO:** No, tú a mí.

**PADRE:** Anda, es que a mí también me gustan los cuentos.

**NIÑO:** Bueno, pero uno cortito, ¿eh?

### d)

**ANCIANA:** Joven, ¿podría decirme cuál es el número del autobús que está llegando a la parada? Es que no veo bien, ya sabe, con la edad, todo se va perdiendo.

**CHICA:** Pues a ver… No veo muy bien, pero creo que es el 94.

**ANCIANA:** ¿El 94? ¿Pero el 94 pasa ahora por aquí?

**CHICA:** Ay, no, perdone… Es que estaba un poco lejos; el autobús que viene es el 34.

**ANCIANA:** ¿El 34? ¿Está segura, joven? Ese sí que no puede ser. El 34 pasa por la calle del mercado, pero no por aquí.

**CHICA:** No, no, tiene razón… Es el 84… Con estas lentillas nuevas no veo muy bien. ¿Es el que está esperando?

**ANCIANA:** Sí, es el mío, pero ya he visto yo que era el 84 hace un rato. Gracias maja; hasta luego… ¡Vaya juventud! ¡Pues no veo yo tan mal como pensaba!

### e)

**PEDRO:** Perdone… ¿Le importaría sujetar a su perro? Es que el mío, ahí donde lo ve tan pequeño, es muy nervioso, y me da mucho miedo… Por el suyo, digo. Esta semana ha mordido ya a otros cuatro perros y a un gato.

**LUIS:** ¡Vaya, pues sí que parece peligroso! Ya le oigo… No se preocupe, ya nos vamos… Bito, Bito, rápido… Vámonos de aquí.

## Actividad 10.a.

**ALBERTO:** Sí Marta, dime.

**MARTA:** ¿Alberto?

**ALBERTO:** Sí, soy yo, es que se oye un poco mal, no hay mucha cobertura aquí en la oficina.

**MARTA:** Cariño, ¿te apetece que nos vayamos este fin de semana a la playa?

**ALBERTO:** Pues claro, me encantaría.

**MARTA:** Estupendo, porque Ana nos presta su apartamento. Entonces le digo que sí, ¿vale? Sería para irnos el viernes y volver el domingo.

**ALBERTO:** Por mí perfecto… Marta, tengo una llamada, luego hablamos en casa. Hasta luego.

**ALBERTO:** ¿Sí, dígame?

**MADRE:** Hola Alberto, soy mamá. ¿Qué tal estás? Mira te llamo porque mañana viernes tu padre y yo nos vamos de viaje y no hemos resuelto todavía lo de Sabrina…Ya sé hijo que los gatos no te gustan mucho, pero de verdad, eres nuestra única solución. Y me hace tanta ilusión lo del viaje. Ya sabes que tu padre está mayor… A lo mejor este es el último que hacemos juntos.

**ALBERTO:** Mamá, no sigas… ¡Vaya, tenía un viaje previsto con Marta! Bueno, voy a hablar con ella. No te preocupes, ya me quedo yo con Sabrina. Total van a ser solo unos días.

**MADRE:** Ya sabía yo que mi hijo no me iba a decir que no. Gracias, cariño. Protege los sillones de tu casa que ya sabes que la última vez Sabrina te rompió el verde, ese que tenías… Claro que te hizo un favor, porque mira que era feo ese sofá. Además…

**ALBERTO:** Mamá, mira tengo que dejarte… Me llama Javier por el móvil… Sí, Javier, dime. ¿Qué tal estás?

**JAVIER:** Bien, bueno. Mira te llamo para ver si me puedes hacer un favor este fin de semana. Ya sabes que las oposiciones que llevo preparando hace tres años son el lunes. ¿Verdad?

**ALBERTO:** Sí, Javier, nos lo dijiste cuando cominos juntos con mamá y papá en tu casa.

**JAVIER:** Ah sí, es verdad… Vaya, no me acordaba, serán los nervios. Es que estoy muy nervioso. Bueno, te llamaba para ver si te puedes quedar con Laurita este fin de semana, a ver si puedo concentrarme y ponerme a estudiar… Es que Pili va a ayudarme con los temas y Laurita está imposible últimamente… Sólo quiere jugar a todas horas… Y así claro, creo que voy a suspender…

**ALBERTO:** Javier, ¡tú siempre tan optimista como siempre! Tenía planes, pero… Todo sea por un hermano… A ver cómo se lo explico a Marta…

# UNIDAD (9)

## Actividad 4.c.

**a)** La historia de la peluquería se sitúa en el antiguo Egipto. Los hombres y mujeres egipcios llevaban el pelo al cero y se depilaban todo el cuerpo. Eso se explica fundamentalmente por el intenso calor. Las pelucas se pusieron también de moda. Las tradicionales eran las de pelo liso y flequillo. Las pelucas eran un símbolo erótico. En Egipto también…

**b)** Los griegos hicieron de la belleza su ideal. Y la belleza también estaba en el pelo, por supuesto. En esta época estaban de moda los recogidos con algún mechón suelto por la frente. A los griegos, lo sabemos por las estatuas, les gustaba el pelo ondulado, porque transmitía sensación de libertad, de movimiento. Los romanos heredaron los gustos de los griegos…

**c)** En la Edad Media las mujeres llevaban el cabello con una raya al medio y con trenzas. Era un peinado sencillo, porque en la Edad Media no se daba mucha importancia al peinado. Además,…

**d)** París es el centro de todos los gustos y estilos durante los siglos XVII y XVIII. En los peinados se empiezan a utilizar las grandes pelucas de color blanco y con rulos. Las pelucas simbolizaban poder, lujo y posición social.

**e)** El siglo XX es el siglo de los cambios, y eso se nota en el peinado. Cada década tiene su estilo propio: pelo corto, largo, rizado. Tal vez lo más significativo sea la moda de los años 60 y 70 de los hombres de llevar el pelo largo, de liberarse de los cortes de pelo rígidos.

### Actividad 7.a.

**OFTALMÓLOGO:** Vamos a ver… Si le ha aumentado la graduación desde la última revisión. ¿Cuándo dice que fue la última vez que vino a la consulta?

**PACIENTE:** Pues la verdad, no lo recuerdo muy bien, creo que fue hace un año y medio o así.

**OFTALMÓLOGO:** ¿Y ha notado algún cambio en su visión últimamente?

**PACIENTE:** Pues no, exactamente. Lo único que ahora cuando paso muchas horas delante del ordenador, luego veo un poco borroso… Pero nada más. No sé si es cansancio o que tengo algún problema.

**OFTALMÓLOGO:** Pues vamos a comprobarlo. A ver, apoye la barbilla aquí… Ya está perfecto. Bueno, pues ahora mismo tiene puesta la misma graduación que la que lleva en sus gafas actuales. Empiece por la primera fila, y dígame las palabras que ve.

**PACIENTE:** Pues todas… Creo yo. A ver, *pero, pelo, mar, mal, rata* y… A ver la última no sé si es *bata* o *gata*.

**OFTALMÓLOGO:** Muy bien. ¿Y de la siguiente?

**PACIENTE:** Aquí ya tengo algunos problemas. Veo *cero, ola, peca* y *pera*.

**OFTALMÓLOGO:** Bueno, no está mal. Continúe por la tercera.

**PACIENTE:** Uh… *sor, son, poro,* y *cara.*

**OFTALMÓLOGO:** ¿Y en la última fila? ¿Ve alguna palabra?

**PACIENTE:** Puf… Alguna creo que veo, a ver, *cima, paro* y… *Lomo.*

**OFTALMÓLOGO:** Bueno, pues vamos a probar con otra graduación. ¿Dónde ve mejor? ¿Aquí o aquí?

## UNIDAD ⑩

### Actividad 3.c.

Queridos telespectadores, bienvenidos otra noche más a nuestro programa. El tema de hoy es el siguiente: ¿Qué nos traerá el futuro? ¿Les parece interesante, verdad? Bueno, para empezar, les proponemos a todos ustedes, escuchar las predicciones del doctor Alberto Viau. Uno de nuestros periodistas estuvo con él hace unos días y esto fue lo que nos dijo.

**a)** Dentro de 500 años el hombre colonizará otras galaxias. Primero se llegará a Marte, luego a otros planetas fuera del Sistema Solar. El hombre no viajará físicamente. Encerrará su energía en cápsulas y la enviará a otros planetas.

**b)** En la actualidad existen 14.000 lenguas, pero es seguro que en el futuro solo quedarán catorce. Y de entre esas catorce, habrá cuatro o cinco que sean las que realmente se utilicen. El español estará entre esas últimas.

**c)** Quizá al final del milenio el hombre consiga ser inmortal. La muerte se produce fundamentalmente por un problema de oxidación. Cuando los científicos resuelvan ese problema, el hombre tendrá una vida infinita.

**d)** Es probable que dentro de 200 años las máquinas puedan fabricarse por sí mismas, y aparezca así la inteligencia artificial.

**e)** Técnicamente se puede ya elegir el sexo de los hijos e incluso conseguir que un bebé se geste en el cuerpo de un varón. Pero, por ser un problema ético, no creo que se tomen ese tipo de decisiones y que las leyes permitan hacerlo.

**f)** En el siglo próximo, puede que desaparezcan las escuelas físicamente, y que todos los procesos de educación se hagan a distancia, por vía electrónica.

### Actividad 8.b.

Sonido ja, je/ge, ji/gi, jo, ju: a) bruja; b) objeto, genio; c) dijimos, astrología; d) brujo; e) jugar.

Sonido ga, gue, gui, go, gu: a) galaxia; b) consigue; c) seguimos; d) mago; e) seguro.

## UNIDAD ⑪

### Actividad 2.a.

**a)** Rick Bronson, un conductor de camiones que llevaba doce años trabajando para la mayor empresa de bebidas gaseosas, fue despedido por haber sido sorprendido bebiendo un refresco de una marca de la competencia. La persona que lo sorprendió comunicó a la empresa que Rick Bronson estaba "apoyando al enemigo". Sin embargo, los sindicatos han declarado que no es más que un intento por deshacerse de un trabajador afiliado a un sindicato y que lucharán por la readmisión del trabajador.

**b)** Un joven senegalés que había sido detenido en Granada por vender CD piratas en la calle, ha sido condenado por el juez Emilio Calatayud a asistir a clases para aprender español y a seguir un curso de inserción laboral. El